PRIÈRES

Michel QUOIST

PRIÈRES

(366ᵉ mille)

ÉDITIONS ÉCONOMIE ET HUMANISME
LES ÉDITIONS OUVRIÈRES
12, avenue Sœur-Rosalie, PARIS-13ᵉ

Les citations de l'Ancien et du Nouveau Testament qui figurent dans le présent ouvrage sont extraites de « La Bible de Jérusalem » avec la gracieuse autorisation des Editions du Cerf.

NIHIL OBSTAT	IMPRIMATUR :
Rouen, le 20 juin 1954.	Rouen, le 3 juillet 1954.
M. VOINCHET	Ch. Pierre DELACROIX
Cens. dép.	Vicaire Général.

Table des matières

Pour mieux prier ces pages

Ces prières ont été vécues et priées avant d'être écrites. Elles sont la vie de militantes et de militants offerte à Dieu, jour après jour. Cette offrande, nous l'avons habillée de mots pour la présenter aux autres; notre but : les aider à faire passer leur vie dans la prière et à transfigurer leur vie par la prière. Tous les faits cités sont absolument authentiques.

Ces textes ne sauraient évidemment servir de « formules de prières » au sens habituel du terme. Méditations dans la vie et par la vie, ils doivent aider les chrétiens à découvrir toutes les richesses d'un contact avec Dieu à partir des événements quotidiens et providentiels de leur existence, mais ils ne doivent pas leur faire oublier la grande prière liturgique et les mots que le Christ Lui-même puis l'Eglise mettent sur les lèvres de leurs fils.

Dieu engage toujours la conversation avec l'homme; c'est pourquoi, en tête de ce livre, nous avons tenté de faire parler Dieu, comme Péguy nous en a donné l'exemple.

Mais bien vite, le militant chrétien ne doit pas se borner à imaginer ce que Dieu lui dit, il doit L'écouter parler très réellement dans sa vie et dans la vie du monde. Dieu s'adresse à nous à travers tous les événements, même le plus insignifiant. C'est le sens des prières très courtes dont nous avons donné quelques exemples pour aider à retrouver le Seigneur à chaque pas de nos routes humaines.

Cependant, ce n'est pas seulement en marchant qu'il faut prier Dieu; il faut savoir s'arrêter devant Lui et Lui parler plus longuement de notre vie. Ainsi l'enfant qui s'est absenté un moment raconte longuement à son père les détails de ses cheminements. Nous avons traduit ces gestes d'amitié en des prières plus longues. Partant d'un objet, d'une personne, d'un événement, chacune de ces prières doit apporter un éclairage de foi sur un secteur de vie courante. Ceux qui prendront la peine de réfléchir sérieusement devant Dieu s'apercevront qu'il y a, dans ces prières, un appel constant à se donner pour les hommes nos frères. Là où le Père nous a placés, nous devons vivre et lutter pour que Son règne de Justice et d'Amour se réalise. Ce n'est pas une démarche facultative mais le sens même de notre vie chrétienne.

Certaines de ces prières gêneront peut-être quelques-uns : nous les supplions d'être assez courageux pour ne pas tourner les pages inquiétantes afin de ne plus entendre les questions qu'à travers elles Dieu leur pose. Il vaut mieux écouter Dieu nous inviter dans la vie que L'entendre nous condamner dans l'Au-delà.

La prière est souvent révélatrice du développement de notre don aux autres et de celui de notre amitié avec le Christ. Nous avons groupé des prières qui marquent un peu cette évolution; elles éclaireront les chrétiens dans leur marche quelquefois obscure vers le don total.

De plus, suivre le Christ sur la route de sa Passion est une démarche essentielle pour celui qui aime le Dieu qui s'est livré pour lui. Mais nous avons trop souffert et quelquefois souri des expressions usées des Chemins de Croix de nos pères pour ne pas tenter d'en écrire un tout simple à l'aide des mots de chaque jour. Nous le savons, eux aussi passeront très vite. Qu'importe ! la fleur cueillie se fane, mais il en pousse d'autres. D'autres les cueilleront.

L'ensemble de ces prières n'est pas à lire, bien sûr, comme on lirait un roman. Volontairement très diverses, elles voudraient répondre aux diverses situations que vivent les chrétiens, les aidant à prier à partir de leur vie. On pourra également utiliser quelquefois tel ou tel texte pour illustrer un exposé ou terminer une veillée.

Enfin, nous avons fait précéder les prières d'un ou de plusieurs textes de l'Ecriture pour donner le goût aux chrétiens, s'ils ne l'avaient déjà, de se pencher sur l'Evangile et d'y trouver la nourriture pour leur vie quotidienne. Ainsi se trouvent réunis, s'appuyant l'un sur l'autre, l'Evangile et la vie, les deux endroits où Dieu nous parle.

Puissent ceux qui liront ces pages entendre Dieu et Lui répondre. En les écrivant, nous n'espérions qu'une chose : amorcer le dialogue extraordinaire de l'homme avec son Dieu.

Michel QUOIST.

SI NOUS SAVIONS
ÉCOUTER DIEU...

Si nous savions écouter Dieu, nous L'entendrions
nous parler. Dieu parle en effet. Il a parlé par son
Evangile, Il parle aussi par la vie, ce nouvel Evangile
dont nous écrivons, nous-mêmes, une page chaque jour.
Mais parce que notre foi est trop faible et notre vie
trop humaine, rarement nous recevons le message de
Dieu. Pour nous aider à L'entendre, au début de notre
vie d'amitié avec le Christ, nous pouvons imaginer ce
qu'Il nous dirait s'Il traduisait Lui-même son Evangile
pour les hommes de notre époque.

J'aime les gosses !

On lui présentait des petits enfants pour les lui faire toucher, mais les disciples gourmandèrent ceux qui les présentaient. Ce que voyant, Jésus se fâcha et leur dit :
« Laissez venir à moi les petits enfants; ne les empêchez pas, car c'est à leurs pareils qu'appartient le Royaume de Dieu. En vérité je vous le dis, celui qui n'accueillera pas le Royaume de Dieu en petit enfant n'y entrera pas » (Marc, 10, 13-15).

J'aime les gosses, dit Dieu, Je veux qu'on leur ressemble.
Je n'aime pas les vieux, dit Dieu, à moins qu'ils soient
    encore des gosses.
Aussi Je ne veux que des gosses dans mon Royaume, c'est
    décrété depuis toujours.
Des gosses tordus, des gosses bossus, des gosses ridés, des
    gosses à barbe blanche, toutes les sortes de gosses que
    vous voudrez, mais des gosses, que des gosses.
Il n'y a plus à revenir, c'est décidé, il n'y a pas de place pour
    les autres.

J'aime les petits gosses, dit Dieu, parce que Mon image en
    eux n'est pas encore ternie.

Ils n'ont pas saboté Ma ressemblance, ils sont neufs, purs,
    sans rature, sans bavure.
Aussi quand doucement Je Me penche vers eux, Je Me
    retrouve en eux.

J'aime les gosses parce qu'ils sont encore en train de gran-
    dir, parce qu'ils sont encore en train de s'élever.
Ils sont en route, sur la route.
Mais les grandes personnes, dit Dieu, il n'y a plus rien à en
    tirer.

Elles ne grandiront plus, elles ne s'élèveront plus.
Elles sont arrêtées.
C'est désastreux, dit Dieu, les grandes personnes, elles se
croient arrivées.

J'aime les grands gosses, dit Dieu, parce qu'ils sont encore
en train de lutter, parce qu'ils font encore des péchés.
Non pas parce qu'ils les font, dit Dieu, vous Me comprenez,
mais parce qu'ils savent qu'ils les font, et qu'ils le disent,
et qu'ils tâchent de ne plus les faire.
Mais les grandes personnes, dit Dieu, Je ne les aime pas,
elles n'ont jamais fait de mal à personne, elles n'ont
rien à se reprocher.
Je ne peux rien leur pardonner, elles n'ont rien à se faire
pardonner.
C'est navrant, dit Dieu. C'est navrant parce que ce n'est
pas vrai.

Mais surtout, dit Dieu, oh ! surtout ! J'aime les gosses à
cause de leur regard. C'est là que Je lis leur âge.
Dans mon Ciel il n'y aura que des yeux de cinq ans, car
Je ne connais rien de plus beau qu'un pur regard de
gosse.
Ce n'est pas étonnant, dit Dieu, J'habite chez eux et c'est
Moi qui Me penche aux fenêtres de leur âme.
Lorsque vous vous trouvez sur le chemin d'un regard pur,
c'est Moi qui vous souris à travers la matière.
Mais, par contre, dit Dieu, Je ne connais rien de plus triste
que des yeux éteints dans une figure de gosse.
Les fenêtres sont ouvertes, mais la maison est vide.
Il reste deux trous noirs, mais non plus de Lumière, deux
yeux, mais non plus de regard.
Et Je suis triste à la porte, et J'ai froid, et J'attends, et Je
frappe. J'ai hâte de rentrer.
Et l'autre est seul : le gosse.
Il s'épaissit, il se durcit, il se dessèche, il vieillit. Pauvre
vieux, dit Dieu !

*

Alléluia, Alléluia, dit Dieu, ouvrez tous, petits vieux.
C'est votre Dieu, c'est l'Eternel ressuscité qui vient ressus-
    citer en vous le gosse ! *the child in you*
Dépêchez-vous, c'est le moment, Je suis prêt à vous refaire
    un beau visage de gosse, un beau regard de gosse...
Car j'aime les gosses, dit Dieu, et Je veux qu'on leur
    ressemble.

Ma plus belle invention, c'est ma Mère

La Vierge Marie est montée au Ciel avec son corps. C'est le mystère de son Assomption. A notre époque revient la gloire et la joie d'avoir entendu la proclamation de ce dogme. Nous avons quelqu'un de notre race, un frère qui est Dieu. Nous avons une femme de chez nous, une sœur qui est mère de Dieu. Et l'un et l'autre, réunis, corps et âme, nous regardent, nous aiment et nous attendent dans la Joie Eternelle.

(L'ange) entra chez elle et lui dit : « Salut, pleine de grâce, le Seigneur est avec toi » (Luc, 1, 28).

Marie dit alors : « Mon âme exalte le Seigneur et mon esprit tressaille de joie en Dieu, mon Sauveur, parce qu'il a jeté les yeux sur la bassesse de sa servante. Oui, désormais toutes les générations me diront bienheureuse, car le Tout-Puissant a fait pour moi de grandes choses. Saint est son nom » (Luc, 1, 46-49).

Ma plus belle invention, dit Dieu, c'est Ma Mère.

Il Me manquait une Maman, et Je l'ai faite.

J'ai fait Ma Mère avant qu'elle ne Me fasse. C'était plus sûr.

Maintenant, je suis vraiment un Homme comme tous les hommes.

Je n'ai plus rien à leur envier, car J'ai une Maman. Une vraie.

Ça Me manquait.

Ma Mère, elle s'appelle Marie, dit Dieu.

Son âme est absolument pure et pleine de grâce.

Son corps est vierge et habité d'une telle lumière que sur terre Je ne Me suis jamais lassé de la regarder, de l'écouter, de l'admirer.

18

Elle est belle, Ma Mère, tellement que, laissant les splendeurs du Ciel, Je ne Me suis pas trouvé dépaysé près d'elle.

Pourtant, Je sais ce que c'est, dit Dieu, que d'être porté par les anges; ça ne vaut pas les bras d'une Maman, croyez-Moi.

Ma Mère Marie est morte, dit Dieu. Depuis que J'étais remonté vers le Ciel, elle Me manquait, Je lui manquais.

Elle M'a rejoint, avec son âme, avec son corps, directement.

Je ne pouvais pas faire autrement. Ça se devait. C'était plus convenable.

Les doigts qui ont touché Dieu ne pouvaient pas s'immobiliser.

Les yeux qui ont contemplé Dieu ne pouvaient rester clos.

Les lèvres qui ont embrassé Dieu ne pouvaient se figer.

Ce corps très pur qui avait donné un corps à Dieu ne pouvait pourrir, mêlé à la terre...

Je n'ai pas pu, ce n'était pas possible, ça M'aurait trop coûté.

J'ai beau être Dieu, Je suis son Fils, et c'est Moi qui commande.

Et puis, dit Dieu, c'est encore pour Mes frères les hommes que J'ai fait cela. Pour qu'ils aient une Maman au Ciel. Une vraie, une de chez eux, corps et âme. La Mienne.

C'est fait. Elle est avec Moi, depuis l'instant de sa mort. Son Assomption, comme disent les hommes.

La Mère a retrouvé son Fils et le Fils sa Mère. Corps et âme, l'Un à côté de l'Autre, éternellement. Si les hommes devinaient la beauté de ce mystère !

Ils l'ont enfin reconnu officiellement. Mon représentant sur terre, le pape, l'a proclamé solennellement.

Ça fait plaisir, dit Dieu, de voir apprécier ses dons. Depuis le temps que le peuple chrétien avait pressenti ce grand mystère de Mon amour filial et fraternel...

Maintenant, qu'ils l'utilisent davantage ! dit Dieu.

Au Ciel ils ont une Maman qui les suit des yeux, avec ses yeux de chair.

Au Ciel ils ont une Maman qui les aime à plein cœur, avec son cœur de chair.

Et cette Maman, c'est la Mienne, qui Me regarde avec les mêmes yeux, qui M'aime avec le même cœur.

Si les hommes étaient malins, ils en profiteraient, ils devraient
    bien se douter que Je ne peux rien lui refuser...
Que voulez-vous, c'est Ma Maman. Je l'ai voulue. Je ne M'en
    plains pas.
L'Un en face de l'Autre, Corps et Ame, Mère et Fils,
Eternellement Mère et Fils...

Mon petit, je t'en supplie, ne dors plus !

Il faut contempler le Christ montant au Calvaire. Il faut revivre avec Lui les stations de son Chemin de Croix pour se pénétrer de son amour pour nous. Mais la Passion n'est pas « achevée ». Vécue par le Christ qui assuma tous les péchés et les souffrances des hommes il y a deux mille ans, elle est maintenant détaillée dans le monde et le sera jusqu'à la fin des temps. Le Christ, vivant dans ses membres, continue de souffrir et de mourir pour nous sous nos yeux. Le Chemin de la Croix passe par nos quartiers et nos villes, nos hôpitaux et nos usines; il passe par les routes de la misère et de la souffrance sous toutes ses formes; il passe par les champs de bataille.

Ce sont devant ces stations que nous devons aussi méditer et prier pour demander au Christ souffrant la force de L'aimer assez pour agir.

*
**

En ce moment je trouve ma joie dans les maux que je souffre pour vous et je complète en ma chair ce qui manque encore aux épreuves du Christ pour son Corps, qui est l'Eglise (Coloss., 1, 24).

*
**

« Je serai en agonie jusqu'à la fin des temps », dit Dieu.
Je serai crucifié jusqu'à la fin des temps.
Les chrétiens, Mes fils, n'ont pas l'air de s'en douter.
Je suis flagellé, souffleté, écartelé, crucifié; Je meurs devant
    eux et ils ne le savent pas, ils ne voient rien, ils sont
    aveugles.
Ce ne sont pas des vrais chrétiens, sinon ils ne vivraient plus
    tandis que Je meurs.

Seigneur, dit l'homme, je ne comprends pas; ce n'est pas
    possible, Vous exagérez.
Je Vous défendrais si l'on Vous attaquait.
Je serais à Vos côtés si Vous agonisiez.
Seigneur, je Vous aime !

Ce n'est pas vrai, dit Dieu. Les hommes se trompent.

Ils disent qu'ils M'aiment, ils le croient, ils sont souvent
  sincères, Je veux bien l'admettre, mais ils s'égarent
  affreusement. Ils ne comprennent pas, ils ne voient pas.

Ils ont lentement tout déformé, desséché, vidé.

Ils pensent M'aimer parce qu'une fois par mois ils honorent
  mon Sacré Cœur;

Comme si Je ne les aimais que douze fois par an.

Ils pensent M'aimer parce qu'ils sont réguliers dans leurs dévo-
  tions, parce qu'ils font brûler un cierge ou récitent une
  prière devant une image de Mon Cœur Sacré.

Mais je ne suis pas de plâtre, dit Dieu, ni de pierre, ni de
  bronze,

Je suis de chair vivante, palpitante, souffrante,

Je suis parmi eux, et ils ne M'ont pas reconnu.

Je suis mal payé, Je suis chômeur, Je suis dans un taudis,
  Je suis tuberculeux, Je couche sous les ponts, Je suis en
  prison, Je suis exploité, Je suis paternalisé.

Je leur ai pourtant dit : « Ce que vous ferez au plus petit
  d'entre les Miens, c'est à Moi que vous l'aurez fait... »
  C'est clair.

Le pire, c'est qu'ils le savent. Mais ils ne le prennent pas au
  sérieux.

« Ils ont brisé Mon cœur, dit Dieu, et J'ai attendu que quelqu'un eût compassion de Moi, mais il n'y eut personne. »

J'ai froid, dit Dieu, J'ai faim, Je suis nu.

Je suis emprisonné, Je suis bafoué, humilié.

Mais c'est une petite passion, c'est pour M'habituer.

Car, dit Dieu, les hommes ont inventé de plus terribles
  épreuves.

Armés de leur liberté, terriblement armés de leur liberté,

Ils ont inventé...

« Pardonnez-leur, Seigneur, ils ne savent pas ce qu'ils font. »

Ils ont inventé la guerre, la vraie.

Ils ont inventé la Passion, la vraie.

22

Car Je suis partout où sont les hommes, dit Dieu.

Depuis ce jour où Je Me suis glissé chez eux, envoyé en mission, chez tous, pour tous.

Depuis ce jour où Je Me suis définitivement compromis pour tenter de les rassembler, de les réunir.

Maintenant Je suis riche et Je suis pauvre, ouvrier et patron.

Je suis syndiqué et non syndiqué, gréviste et briseur de grève, car les hommes Me font faire, hélas ! toutes les besognes.

Je suis du côté des manifestants et du côté des C.R.S.

Je suis à gauche, Je suis à droite, et même au centre.

Je suis en deçà du rideau de fer, et au-delà.

Je suis Allemand et Français, Russe et Américain.

Je suis Coréen du Nord et Coréen du Sud, de la Chine nationaliste et de la Chine communiste, du Vietnam du Nord et du Vietnam du Sud.

Je suis partout où sont les hommes, dit Dieu.

Ils M'ont accepté, ils Me possèdent, les traîtres !

Salut, Maître !

Et maintenant Je suis chez eux, avec eux, l'un d'eux, eux,

Or, voyez ce qu'ils ont fait de Moi...

Ils Me flagellent, ils M'écartèlent, ils Me crucifient,

Ils me déchirent en s'entre-déchirant ;

Ils Me tuent en s'entre-tuant.

Les hommes ont inventé la guerre...

Je saute sur des mines, Je râle dans des trous,

Je gémis criblé d'éclats d'obus, Je M'écroule sous les rafales de mitrailleuses,

Je sue du sang d'hommes sur tous les champs de bataille,

Je crie des cris d'hommes dans la nuit des combats,

Je meurs des morts d'hommes dans la solitude des combats.

O terre de lutte, immense croix où les hommes chaque jour Me couchent !

N'était-ce pas assez que le bois du Golgotha ?

Fallait-il encore cet immense autel pour Mon sacrifice d'amour,

Tandis qu'autour de Moi les hommes rient, chantent, dansent et, fous, Me crucifient dans un grand éclat de rire ?

*
**

Seigneur, assez ! Ayez pitié !

Je ne veux pas ! ce n'est pas moi !

Si, Mon petit, c'est toi.

C'est toi et tous tes frères, car
>   il faut plusieurs coups de marteau pour enfoncer un clou,
>   il faut plusieurs coups de fouet pour labourer des épaules,
>   il faut plusieurs épines pour faire une couronne,
>   et tu es de cette humanité qui, ensemble, Me condamne.

Qu'importe si tu es de ceux qui frappent, ou de ceux qui regardent, de ceux qui exécutent ou de ceux qui laissent faire.

Vous êtes tous coupables : acteurs et spectateurs.

Mais surtout, Mon petit, ne sois pas de ceux qui dorment, de ceux qui peuvent encore s'endormir... en paix. Dormir !...

C'est terrible de dormir !

« Vous ne pouvez donc pas veiller une heure avec Moi ?... »

Allons, debout, Mon petit, entends-tu le bruit des combats ?

C'est la cloche qui sonne,

C'est la messe qui commence,

Dieu meurt pour toi, crucifié par les hommes.

SI NOUS SAVIONS
REGARDER LA VIE...

Si nous savions regarder la vie avec les yeux de Dieu, nous verrions que rien n'est profane dans le Monde, mais qu'au contraire tout participe à la construction du Royaume de Dieu. Ainsi, avoir la foi, ce n'est pas seulement lever les yeux vers Dieu pour Le contempler, c'est aussi regarder la terre, mais avec les yeux du Christ.

Si nous avions laissé le Christ pénétrer tout notre être, si nous avions assez purifié notre regard, le Monde ne serait plus pour nous un obstacle, il serait une perpétuelle invitation à travailler pour le Père afin que, dans le Christ, son règne arrive sur la terre comme au ciel.

Il faut demander à Dieu la Foi, pour savoir regarder la vie.

Je voudrais monter très haut

« *Béni soit le Dieu et Père de Notre-Seigneur Jésus-Christ, qui nous a bénis et comblés de bienfaits spirituels, aux cieux, dans le Christ. C'est ainsi qu'Il nous a élus en Lui, dès avant la création du monde, pour être saints et immaculés en sa présence, dans l'amour, déterminant d'avance que nous serions pour Lui des fils adoptifs par Jésus-Christ* » (Eph., 1, 3-5).

Il nous a fait connaître le secret de sa volonté, ce dessein bienveillant qu'Il avait formé en Lui par avance, pour le réaliser quand les temps seraient accomplis : « *Ramener sous un seul Chef, le Christ, tous les êtres, aussi bien célestes que terrestres* » (Eph. 1, 9-10).

Je voudrais monter très haut, Seigneur,
Au-dessus de ma ville
Au-dessus du monde
Au-dessus du temps
Je voudrais purifier mon regard et T'emprunter Tes yeux.

.**.

Je verrais alors l'Univers, l'Humanité, l'Histoire, comme les
    voit le Père
Je verrais dans cette prodigieuse transformation de la matière
Dans ce perpétuel bouillonnement de vie,
Ton grand Corps qui naît sous le souffle de l'Esprit
Je verrais la belle, l'éternelle idée d'amour de Ton Père qui
    se réalise progressivement :
Tout récapituler en Toi, les choses du ciel et celles de la terre.
Et je verrais qu'aujourd'hui comme hier, les moindres détails
    y participent,
Chaque homme à sa place,
Chaque groupement
Et chaque objet.
Je verrais telle usine et tel cinéma,

27

La discussion de la convention collective et la pose de la
borne-fontaine.
Je verrais le prix du pain qu'on affiche et la bande de jeunes
qui va au bal,
Le petit gosse qui naît et le vieillard qui meurt.
Je verrais la plus petite parcelle de matière et la moindre palpi-
tation de vie,
L'amour et la haine,
Le péché et la grâce.
Saisi, je comprendrais que devant moi se déroule la Grande
Aventure d'Amour commencée à l'aurore du Monde,
L'Histoire Sainte qui selon la promesse ne s'achèvera que
dans la gloire après la résurrection de la chair.
Lorsque Tu Te présenteras devant le Père en disant : C'est
fait, Je suis l'Alpha et l'Oméga, le Commencement et
la Fin.
Je comprendrais que tout se tient,
Que tout n'est qu'un même mouvement de toute l'Humanité
et de tout l'Univers vers la Trinité, en Toi et par Toi,
Seigneur.
Je comprendrais que rien n'est profane, des choses, des per-
sonnes, des événements,
Mais qu'au contraire tout est sacré à l'origine par Dieu
Et que tout doit être consacré par l'homme divinisé.
Je comprendrais que ma vie, imperceptible respiration en ce
Grand Corps Total,
Est un Trésor indispensable dans le Projet du Père.
Alors, tombant à genoux, j'admirerais, Seigneur, le mystère
de ce Monde
Qui, malgré les innombrables et affreux ratés du péché,
Est une longue palpitation d'amour, vers l'Amour éternel.

Je voudrais monter très haut, Seigneur
Au-dessus de ma ville
Au-dessus du monde
Au-dessus du temps
Je voudrais purifier mon regard et T'emprunter Tes yeux.

...TOUTE LA VIE DEVIENDRAIT SIGNE

Si nous savions regarder la vie avec les yeux de Dieu, toute la vie deviendrait signe, innombrables gestes d'amour du Créateur en quête de l'amour de Sa créature. Le Père nous a mis dans le Monde, ce n'est pas pour y marcher les yeux baissés mais pour Le suivre à la trace à travers les choses, les événements et les personnes. Tout doit nous révéler Dieu.

Il n'est pas besoin de longues prières pour sourire au Christ dans les plus petits détails de sa vie quotidienne. Les lignes suivantes voudraient montrer quelques exemples très simples de cette démarche d'amour.

Je viens de raccrocher; pourquoi a-t-il téléphoné ?
Ah ! oui, Seigneur... j'y suis.

C'est que j'ai beaucoup parlé et très peu écouté.

Pardon, Seigneur, j'ai dit un monologue et je n'ai pas dialogué.
J'ai imposé mon idée et n'ai pas échangé.
Parce que je n'ai pas écouté je n'ai rien appris,
Parce que je n'ai pas écouté je n'ai rien porté,
Parce que je n'ai pas écouté je n'ai pas communié.

Pardon, Seigneur, car j'étais en communication,
Et maintenant nous sommes coupés.

L'école est moderne.
Le directeur, très fier, me détaille toutes les commodités.
La plus belle trouvaille, Seigneur, c'est le tableau vert.
Les savants ont longuement étudié, ils ont fait des expériences,
Maintenant nous savons que le vert est la couleur idéale,
    qu'elle ne fatigue pas la vue, qu'elle apaise et détend.

Seigneur, j'ai pensé que Tu n'avais pas attendu si longtemps
    pour peindre en vert les prairies et les arbres.
Tes bureaux d'étude ont bien fonctionné, et pour ne pas nous
    lasser, Tu as mis au point des quantités de nuances pour
    Tes prairies modernes,
Ainsi, les « trouvailles » des hommes consistent à découvrir
    ce que Tu as pensé de toute éternité.
Merci, Seigneur, d'être le bon Père de famille qui laisse à ses
    petits la joie de découvrir eux-mêmes les trésors de son
    intelligence et de son amour.
Mais garde-nous de croire que, tout seul, nous avons inventé.

Les fils de fer se donnent la main autour des trous,
Pour ne pas casser la ronde ils serrent très fort le poignet du
      voisin
Et c'est ainsi qu'avec des trous ils font une barrière.

Seigneur, il y a de nombreux trous dans ma vie
Il y en a dans celle de mes voisins
Mais si Tu veux nous nous donnerons la main,
Nous serrerons très fort
Et ensemble nous ferons un beau rouleau de grillage pour
      aménager le Paradis.

Il m'a marché sur le pied.
Je l'ai regardé furieux,
Il m'a regardé ennuyé.

Et puis, Seigneur, j'ai pensé que ce n'est pas pour rien que
nous sommes sortis tous les deux sur le pas de notre
porte.
Puisqu'il a sonné, je veux lui ouvrir en souriant.
J'ai souri,
Il a souri,
Et nous sommes partis sur cette poignée de main.

Merci, Seigneur, de l'avoir rencontré.

L'élastique

Des deux mains il tirait sur le sandow pour fixer son paquet
    sur le porte-bagages.
En trois fois il se reprit et brusquement l'élastique cassa.
Il se tenait la main car violemment le sandow était revenu en
    arrière et l'avait fouetté, mécontent d'avoir été si mal-
    traité.
Il fallait tout recommencer avec de nouveaux liens.

Ainsi, Seigneur, dans mon équipe, j'ai le droit de tirer, mais
    non pas de casser,
Car les autres retourneraient en arrière, tandis que je me trou-
    verais seul sur la route inconnue.

Ainsi, Seigneur, dans Ton Eglise, cette lourde équipe qui
    chemine lentement
Donne à certains de tirer de toute leur force la longue cordée,
Car le temps déroule de nouveaux chemins qu'aucun de nous
    n'a encore foulés,
Mais qu'ils ne cassent pas la chaîne, Seigneur,
Car ils seraient hors de Ta Vie, beaucoup reculeraient, et tout
    serait à recommencer.

J'ai serré la main de mon ami, Seigneur.
Et brusquement, devant ce visage triste et soucieux, j'ai craint
    Ton absence en son cœur.
Je suis gêné comme devant un tabernacle fermé lorsque
    j'ignore si Tu l'habites.

Si Tu n'étais pas là, Seigneur, nous serions séparés.
Car sa main en ma main ne serait plus que chair sur chair.
Et son cœur pour mon cœur celui d'un homme pour l'homme.
Je veux Ta vie pour lui en même temps que pour moi
Car je veux que mon ami soit grâce à Toi mon frère.

La brique

Le maçon posait la brique sur le lit de ciment.
D'un geste précis de sa truelle, il lui jetait une couverture,
Et sans lui demander avis couchait par-dessus une nouvelle
brique.
A vue d'œil les fondations montaient,
La maison pourrait s'élever haute et solide pour abriter des
hommes.

J'ai pensé, Seigneur, à cette pauvre brique enterrée dans la
nuit au pied du grand immeuble.
Personne ne la voit mais elle fait son travail et les autres ont
besoin d'elle.
Seigneur, qu'importe que je sois au faîte de la maison ou dans
les fondations pourvu que je sois fidèle, bien à ma place,
dans Ta Construction.

Un instant la maman a laissé la voiture d'enfant, et je me suis approché pour rencontrer la Sainte Trinité vivante en l'âme pure.

L'enfant dort, ses bras jetés en désordre sur le petit drap brodé.

Les yeux clos regardent à l'intérieur et la poitrine doucement se soulève.

Il semble que la vie murmure : la maison est habitée.

Seigneur, Tu es là.

Je t'adore en ce petit qui ne T'a pas encore défiguré.

Aide-moi à redevenir comme lui,

A retrouver Ton image et Ta vie, si loin en mon cœur enfouies.

Elles manquent de pudeur.
Je ne peux poser les yeux sur ce mur sans les toucher, car
   elles se serrent les unes contre les autres, sœurs jumelles,
   alliées pour m'aguicher.
Leurs couleurs sont violentes, elles me blessent les yeux,
Et dans les plaies, elles inscrivent leur nom, comme le tatoueur
   dessine dans les chairs saignantes.

Seigneur, ainsi je m'affiche trop souvent et partout.
Donne-moi d'être plus humble et plus discret,
Et surtout garde-moi de m'imposer par un artificiel éclat,
Car seule Ta Lumière en moi, Seigneur, doit attirer le regard
   des autres.

Psscht... clac...
La porte est fermée,
Les couteaux mécaniques ont coupé dans la masse humaine,
    sur le quai, ce qu'il faut pour faire une portion « métro »,
Il s'ébranle.
Je ne peux bouger
Je ne suis plus individu, mais masse,
Une masse qui se déplace en bloc comme un pâté en gelée,
    dans une boîte un peu grande.

Masse anonyme, indifférente, et peut-être loin de Toi, Sei-
    gneur.
Je ne fais qu'un avec elle et je comprends qu'il m'est dur,
    quelquefois, de monter.
Cette foule est lourde, semelle de plomb à mes pieds déjà si
    lents, passagers trop nombreux en ma nacelle encombrée.
Et pourtant, Seigneur, je n'ai pas le droit d'ignorer ces gens,
    ils sont mes frères,
Je ne puis me sauver seul.

Seigneur, puisque Tu le veux, je me sauverai « en métro ».

Balançoire

Au bout de ces deux cordes tendues, mollement il se balan-
çait.
Les yeux clos, la volonté sommeillante, écoutant le murmure
du vent qui lui chantait une berceuse en le poussant du
doigt.
Et les minutes s'envolaient doucement au balancier du por-
tique.

Ainsi, Seigneur, je marche dans la ville comme en un immense
champ de foire où les hommes se balancent au gré de
la vie.
Certains s'abandonnent en souriant au plaisir du moment,
D'autres, visages crispés, maudissent le vent qui les secoue
et les choque entre eux.

Je voudrais, Seigneur, qu'ils se lèvent.
Je voudrais qu'ils saisissent à pleine main les cordes que Tu
leur tends.
Je voudrais qu'ils cambrent leurs corps vigoureux, qu'ils dur-
cissent leurs muscles et qu'ils impriment à leur vie le
mouvement qu'ils ont choisi,

Car Tu ne veux pas, Seigneur, que Tes fils se laissent vivre.
Tu veux qu'ils vivent.

41

Le gosse trébucha sur le palier et la porte claqua.

Il était puni.

Un instant, il reprit conscience de son épreuve, et, n'ayant pu décidément l'accepter, il se précipita rageur sur la porte impassible.

Il la gifla, il la boxa, trépignant et hurlant.

Mais sur la porte au visage de bois, pas une fibre ne remua.

Le gosse avisa le trou de la serrure, œil ironique de cette triste porte.

Mais, en se penchant, il vit que l'œil était fermé.

Alors, désespéré, il s'assit et pleura.

Je le regardais en souriant et pensais, Seigneur, que souvent je m'épuise ainsi devant des portes closes.

Je veux justifier, prouver, persuader.

Et je parle, je brandis des arguments,

Je frappe de grands coups pour atteindre l'imagination ou la sensibilité de l'autre,

Mais l'autre m'a éconduit poliment ou violemment et je gaspille ma force, orgueilleux que je suis.

Donne-moi, Seigneur, d'être respectueux et patient,

Aimant et priant silencieusement,

Assis sur le seuil, en attendant que l'autre ouvre sa porte.

...TOUTE LA VIE
DEVIENDRAIT PRIÈRE

Si nous savions écouter Dieu, si nous savions regarder la vie, toute la vie deviendrait prière. Car toute la vie se déroule sous le regard de Dieu et rien ne doit être vécu sans lui être librement offert.

Les mots de chaque jour nous servent d'abord de trait d'union avec le ciel. Servons-nous des pages suivantes. Puis, comme l'on rejette les pelures d'un fruit que l'on consomme, très vite, passons-nous des mots. Ils n'étaient qu'un moyen. Mais la prière silencieuse qui s'évade des mots ne doit jamais se priver de la vie, car la vie de chaque jour est la matière première de la prière.

Prière devant un billet de cent francs

On ne respectera jamais assez l'argent, car le travail qu'il représente a coûté de la sueur et du sang.

L'argent est redoutable, il peut servir l'homme ou le détruire.

*
* *

« Votre richesse est pourrie, vos vêtements sont rongés par les vers. Votre or et votre argent sont rouillés, et leur rouille témoignera contre vous... Voyez, le salaire dont vous avez frustré les ouvriers qui ont fauché vos champs crie, et les clameurs des moissonneurs sont parvenues aux oreilles du Seigneur » (Jacques, 5, 2-4).

« Vendez ce que vous possédez, et donnez-le en aumône. Faites-vous des bourses qui ne s'usent pas, un trésor qui ne vous fera pas défaut dans les cieux, où le voleur n'approche ni la mite ne détruit. Car où est votre trésor, là aussi sera votre cœur » (Luc, 12, 33-34).

*
* *

Seigneur, vois ce billet, il me fait peur.
Tu connais son secret, Tu connais son histoire.
Comme il est lourd.
Il m'impressionne car il ne parle pas,
Il ne dira jamais tout ce qu'il cache en ses plis,
Il ne livrera jamais tout ce qu'il représente d'efforts et de
    luttes.
Il porte sur lui la sueur humaine,
Il est taché de sang, de désillusion, de dignité bafouée.
Il est riche de tout le poids de travail humain qu'il contient
    et qui fait sa valeur,

Il est lourd, lourd, Seigneur.
Il m'impressionne, il me fait peur,
Car il a des morts sur la conscience,

Tous les pauvres types qui se sont tués à la tâche, pour lui...
Pour l'avoir, pour le posséder quelques heures,
Pour obtenir de lui un peu de plaisir, de joie, de vie...

En combien de doigts est-il passé, Seigneur ?
Et qu'a-t-il fait en ses longs voyages silencieux ?

Il a offert des roses blanches à la fiancée rayonnante,
Il a payé les dragées du baptême, nourri le bébé rose.
C'est lui qui mit le pain à la table du foyer.
Il a permis le rire des jeunes et la joie des aînés.
Il a payé la consultation du médecin sauveur,
Il a donné le livre qui instruit le gamin,
Il a vêtu la vierge.

Mais il a envoyé la lettre de rupture.
Il a payé, dans le sein de la mère, le meurtre du petit.
C'est lui qui distribua l'alcool et fit l'ivrogne.
Il a projeté le film interdit aux enfants, et enregistré le disque
    dégoûtant.
Il a séduit l'adolescent et fait de l'adulte un voleur.
Pour quelques heures, il a acheté le corps d'une femme.
C'est lui qui paya l'arme du crime et les planches d'un
    cercueil.

O Seigneur, je T'offre ce billet de cent francs,
        en ses mystères joyeux,
        en ses mystères douloureux.
Je Te dis merci pour toute la vie et la joie qu'il a données,
Je Te demande pardon pour le mal qu'il a fait.
Mais surtout, Seigneur, je Te l'offre pour tout le travail
    d'homme, pour toute la peine d'homme dont il est le
    symbole et qui, demain enfin, monnaie inattaquable, sera
    changée en Ta vie éternelle.

La revue pornographique

Le corps est matière, mais il est œuvre de Dieu et l'esprit l'ennoblit. Pour un chrétien qui accueille la vie du Seigneur en lui, son corps devient temple de l'Esprit-Saint et membre du Christ. C'est dire sa dignité. Lorsqu'il est négligé ou bafoué, c'est Dieu même qu'on insulte.

**

« Ne savez-vous pas que vous êtes le temple de Dieu et que l'Esprit de Dieu habite en vous ? Si quelqu'un détruit le temple de Dieu, Dieu le détruira. Car le temple de Dieu est sacré, et ce temple, c'est vous » (1 Cor., 3, 16-17).

« Si quelqu'un m'aime... nous viendrons à lui et nous établirons en lui notre demeure » (Jean, 15, 23).

« Vous êtes le corps du Christ et vous êtes membres les uns des autres » (1 Cor., 12, 27).

« Je vais vous dire un mystère... tous nous serons transformés... Les morts ressusciteront incorruptibles » (1 Cor., 16, 51-53).

« Et le Verbe s'est fait chair » (Jean, 1, 14).

**

Seigneur, j'ai honte à cause de cette revue
Il me semble que Tu es profondément blessé en Ton infinie
     pureté.

Les employés du bureau se sont cotisés pour la payer.
Le gosse a couru pour aller l'acheter,
Et longuement traîné pour la leur rapporter.

La voici.

Sur son papier glacé les corps nus s'offrent, prostitués au rabais.

Ils vont passer de service en service, de mains en mains,

Caressés du regard, suscitant les rires, excitant les passions, déchaînant les sens.

Corps-objets, désertés par les âmes,

Jouets pour grandes personnes au cœur épaissi et souillé.

Pourtant, Seigneur, c'est beau un corps d'homme.

Depuis toujours, Artiste incomparable, Tu rêvais du modèle, pensant qu'un jour Tu épouserais le corps humain en épousant la nature humaine.

Lentement Tu le façonnas des mains de Ta puissance et soufflas l'âme vivante en la matière inerte.

Désormais, Seigneur, Tu nous demandes de respecter la chair, car la chair tout entière est porteuse d'esprit,

Et nous avons besoin de ce corps généreux pour que communie notre esprit à l'esprit de nos frères.

Les paroles, en longs convois de mots, acheminent notre âme vers une âme voisine.

Le sourire découvre cette âme sur le bord de nos lèvres,

Le regard la présente au balcon de nos corps,

La poignée de main la transmet à l'ami,

Le baiser la livre à l'amante,

L'étreinte des époux veut réunir deux âmes pour en quêter une troisième dans un troisième corps.

Mais pour Toi, Seigneur, ce n'était pas suffisant de faire de notre chair le sacrement de l'esprit.

Par Ta grâce, le corps du chrétien devient sacré et temple de la Trinité,

Tout Dieu dans toute notre âme,

Et toute notre âme dans tout notre corps.

Suprême dignité de ce corps magnifique.

Il est membre du Seigneur et porteur de son Dieu !

*
**

Voici, Seigneur, ce soir, le corps des hommes endormis :

Le corps pur du tout petit enfant,
Le corps sali de la prostituée,
Le corps vigoureux de l'athlète,
Le corps écrasé de l'ouvrière d'usine,
Le corps sensuel du fêtard,
Le corps repu du riche,
Le corps meurtri du pauvre,
Le corps battu du gosse,
Le corps fiévreux du malade,
Le corps douloureux de l'accidenté,
Le corps paralysé de l'infirme,

tous les corps, Seigneur, et tous les âges des corps.

Voici le corps tout chaud du fragile bébé, détaché comme un
    fruit mûr du corps de sa maman.
Voici le corps de l'enfant insouciant qui tombe et se relève
    en léchant son sang vermeil.
Voici le corps de l'adolescent inquiet qui ne sait pas que
    c'est beau un petit qui grandit.
Voici le corps de l'homme mûr puissant et fier de sa force.
Voici le corps du vieillard qui s'éteint lentement.

Je Te les offre tous, Seigneur, et je Te prie de les bénir
    tandis qu'ils vivent en silence, enveloppés dans Ta nuit.
Ils sont à Toi abandonnés sous Ton regard, par leur âme
    endormie.
Demain, brutalement secoués, ils devront reprendre leur ser-
    vice.
Fais qu'ils soient serviteurs et non maîtres;
Maisons ouvertes et non prisons;
Temples du Dieu Vivant et non tombeaux.
Fais qu'ils soient respectés, développés, purifiés, transfigurés,
    par ceux qui les revêtent,

Et que, fidèles compagnons, nous les retrouvions tous à la
    fin des temps, illuminés de la beauté des âmes,
Face à Toi, Seigneur, et face à Ta Maman,
Puisque Vous deux, Vous êtes de chez nous,
Puisque tous les corps des hommes sont eux aussi les glorieux
    . invités de Ton ciel éternel.

Le tracteur

La machine est un progrès si, décuplant les forces de l'homme, elle le sert. Malheureusement, nous le savons, trop souvent elle le domine de sa puissance et de son rythme. Elle sert le profit mais l'homme est son esclave. Il faut lutter pour rétablir l'ordre. Au fur et à mesure que l'homme se prolonge, se grandit par la machine, il lui faudrait grandir son âme pour assumer le travail mécanique, le dominer et l'offrir.

.*.

« Quoi que vous puissiez dire ou faire, que ce soit toujours au nom du Seigneur Jésus, rendant par lui grâces au Dieu Père » (Col., 3, 17).

.*.

Je n'aime pas les tracteurs, Seigneur.
J'en ai vu un, tantôt, dans un champ;
Il me révoltait.

Le tracteur est orgueilleux.
Il écrase l'homme de toute sa force.
Il ne le regarde pas, il avance,
Mais il avance en rampant, Seigneur.

Il est laid,
Il marche péniblement en secouant sa lourde carapace.
Le nez bêtement en l'air, essoufflé,
En toussant en mesure, de sa grosse toux de poitrinaire
    mécanique.
Mais il est plus fort que l'homme, Seigneur.
Imperturbable, régulier, il tire sa charge.
Il tire ce que mille bras humains ne sauraient faire bouger.
Il porte ce que mille mains humaines ne pourraient soulever.

C'est laid un tracteur, mais c'est fort et j'ai besoin de lui.
Mais il a besoin de moi, il a besoin de l'homme;
Il en a besoin pour exister, c'est lui qui le fait;
Il en a besoin pour marcher, c'est lui qui le met en route;
Il en a besoin pour avancer, c'est lui qui le dirige;
Il en a besoin surtout, pour être offert,
Car le tracteur n'a pas d'âme, Seigneur, et c'est l'homme qui
    lui prête la sienne.

Je T'offre ce soir, Seigneur, le travail de tous les tracteurs du
    pays, de tous les tracteurs du Monde !
Je T'offre l'effort de toutes les machines qui n'ont pas d'âme
    pour s'offrir;
Je Te prie pour qu'elles n'écrasent pas l'homme de leur puis-
    sance orgueilleuse, mais qu'elles le servent;
Je Te prie pour que l'homme, debout, les domine de toute
    son âme libre,
Et qu'ainsi elles Te louent par leur travail,
Elles Te glorifient,
Et participent à cette grand'messe solennelle du monde, qui se
    dit chaque jour, par le labeur humain, et se dira ainsi
    jusqu'à la fin des temps.

Pour un chrétien, la mort n'existe pas ou, plutôt, elle n'est qu'un point de départ et non une fin. L'Eglise chante aux enterrements : « La vie n'est pas ôtée, elle est changée » [1], et elle nomme « Jour de naissance » le jour anniversaire de la mort des bienheureux. Sainte Thérèse de l'Enfant-Jésus, à son lit de mort, murmurait : « Je ne meurs pas, j'entre dans la vie. »

Nos morts vivent et, s'ils ne sont pas à jamais condamnés, nous pouvons les retrouver en Dieu. Si nous voulons vivre éternellement avec eux, il nous faut rencontrer le Christ, L'écouter et communier à Lui.

*
* *

« Je suis la résurrection et la vie ! » (Jean, 11, 25).

« En vérité je vous le dis, si quelqu'un garde ma parole, il ne verra jamais la mort » (Jean, 8, 51).

« C'est moi qui suis le pain de vie, ... celui qui me mange vivra » (Jean, 6, 51).

« Si l'on prêche que le Christ est ressuscité des morts, comment certains, parmi vous, peuvent-ils prétendre qu'il n'y a pas de résurrection des morts ?... Si le Christ n'est pas ressuscité, notre prédication devient sans objet, sans objet aussi votre foi... Si c'est pour cette vie seulement que nous avons mis notre espoir dans le Christ, nous sommes les plus malheureux de tous les hommes » (1 Cor., 15, 12-14-19).

*
* *

Les gens suivaient;
Les gens en noir et qui pleuraient,
Les gens en noir et qui avaient l'air de pleurer,
Les premiers des gens en couleur, dont quelques-uns pleuraient;
Et les autres gens en couleur qui ne faisaient plus rien, ou plutôt s'ennuyaient ou bavardaient.

---

[1] Préface de la Messe des morts.

A la sortie du cimetière,
Les gens en noir sanglotaient : tout est fini;
Les seconds des gens en noir reniflaient : allons, ma petite,
du courage, c'est fini,
c'est ainsi que tout finit !
Les premiers des gens en couleur murmuraient : le pauvre,
Et les autres gens en couleur respiraient : ouf, c'est fini !

Et moi je pensais que tout commençait.

Oui, il avait fini la répétition générale, mais la représentation
éternelle commençait.
Il avait fini l'apprentissage, mais l'exécution éternelle com-
mençait.
Il avait fini la lente gestation, mais la vie éternelle commen-
çait.
Il venait de naître,
De naître à la Vie;
Celle qui est pour de bon,
Celle qui est pour de vrai,
La Vie éternelle.

Comme si les morts existaient !
Il n'y a pas de morts, Seigneur,
Il n'y a que des vivants, sur notre terre, et au-delà.
La mort existe, Seigneur.
Mais elle n'est qu'un moment,
Un instant, une seconde, un pas,
Le pas du provisoire au définitif,
Le pas du temporel à l'éternel.
Ainsi meurt l'enfant quand naît l'adolescent,
la chenille quand s'envole le papillon,
le grain quand s'annonce l'épi.

Mort, personnage grotesque, ogre pour petits enfants, fan-
tôme inexistant
Tu me fais rire.
Mais tu me révoltes.
Tu terrorises le Monde.

Tu effrayes et trompes les hommes,
Et pourtant tu n'existes que pour la Vie, et tu n'es pas capable
de nous ravir ceux que nous aimons.

Mais où sont-ils, Seigneur, ceux que vivants j'ai chéris ?
Sont-ils en extase, saintement occupés à aimer au rythme de
la Trinité ?
Sont-ils torturés dans la nuit, brûlant du désir d'aimer infi-
niment ?
Sont-ils désespérés, condamnés à eux-mêmes parce qu'ils se
sont préférés aux autres; consumés de haine parce qu'ils
ne peuvent plus aimer ?

Seigneur, ils sont près de moi mes morts,
Je les sais qui vivent dans l'ombre;
Je ne les touche plus de mes yeux, car ils ont un moment
abandonné leur enveloppe charnelle comme on laisse un
vêtement usé ou démodé.
Leur âme privée de leur déguisement, désormais, ne me fait
plus signe.

Mais en Vous, Seigneur, je les entends qui m'appellent,
Je les vois qui m'invitent,
Je les écoute qui me conseillent,
Car ils me sont davantage présents.
Jadis, nos chairs se touchaient, mais non pas nos âmes.
Maintenant, je les rencontre, lorsque je Te rencontre,
Je les reçois en moi, lorsque je Te reçois,
Je les porte lorsque je Te porte,
Je les aime lorsque je T'aime.
O mes morts, vivants éternels qui vivez en moi,
Aidez-moi à bien apprendre, en cette courte vie, à vivre
éternellement.

Seigneur, je Vous aime et je veux Vous aimer davantage,
C'est Vous qui éternisez les amours et je veux éternellement
aimer.

Les vies efficaces ne sont pas toujours celles qui attirent l'attention. Elles ne sont jamais celles de l'orgueilleux qui s'emporte contre les obstacles sans pouvoir les faire fléchir. Mais les vies humbles sous le regard de Dieu, illuminées de Sa grâce et rayonnantes pour les autres, celles-là sont toujours efficaces.

*
* *

« La charité est longanime; la charité est serviable; elle n'est pas envieuse; la charité ne se vante ni ne se rengorge; elle ne fait rien d'inconvenant, elle ne cherche pas son intérêt, ne s'irrite pas, ne garde pas rancune du mal; elle ne se réjouit pas de voir l'injustice, mais elle met sa joie dans le triomphe de la vérité. Elle excuse tout, croit tout, espère tout, supporte tout » (1 Cor., 13, 4-7).

*
* *

J'ai vu, Seigneur, la mer sombre et furieuse s'attaquer aux rochers.
Les vagues, de loin, prenaient leur élan.
Debout, orgueilleuses, elles bondissaient, se bousculaient l'une l'autre, pour se dépasser et frapper la première.
Quand l'écume blanche se retirait, laissant le roc intact, elles étaient reparties en courant pour s'élancer encore.

J'ai vu, l'autre jour, la mer calme et sereine.
Les vagues venaient de très loin, à plat ventre pour ne pas attirer l'attention.
Se donnant sagement la main, elles glissaient sans bruit et s'étalaient de tout leur long sur le sable, pour atteindre le rivage, du bout de leurs beaux doigts de mousse.
Le soleil les caressait doucement et, généreuses, en renvoyant ses rayons, elles distribuaient sa clarté.

*
* *

Seigneur, donne-moi d'éviter les coups désordonnés qui fati-
gent et blessent sans entamer l'ennemi;

Ecarte de moi ces spectaculaires colères qui attirent l'attention mais laissent inutilement affaibli;

Ne permets pas qu'orgueilleusement je veuille toujours dépasser les autres, en écrasant au passage ceux qui marchent
devant moi;

Efface de mon visage l'air sombre des orages vainqueurs.

Au contraire, Seigneur, fais que calmement je remplisse mes
journées, comme la mer lentement recouvre toute la
grève;

Fais-moi humble comme elle, lorsque silencieuse et douce elle
avance sans se faire remarquer;

Donne-moi d'attendre mes frères et de mesurer mon pas au
leur, pour monter avec eux.

Accorde-moi la persévérance triomphante des flots;

Fais que chacun de mes reculs soit l'occasion de montée;

Donne à mon visage la clarté des eaux limpides, à mon âme
la blancheur de l'écume;

Illumine ma vie comme les rayons de ton soleil font chanter
la surface des eaux,

Mais surtout, Seigneur, fais que je ne garde pas pour moi
cette Lumière et que tous ceux qui m'approchent rentrent chez eux, avides de se baigner en Ta grâce éternelle.

Le regard

Le regard de l'homme est puissant, car il est porteur d'âme. Quand l'âme est habitée par Dieu, le regard de l'homme peut donner Dieu aux hommes.

.

(Jésus) se mettait en route quand un homme accourut et, fléchissant devant lui le genou, lui demanda : « Bon Maître, que dois-je faire pour obtenir la vie éternelle ? » — « Tu connais les commandements (lui dit Jésus) : ne tue pas... » L'homme lui répondit : « Maître, tout cela, je l'ai observé depuis ma jeunesse. » Alors Jésus fixa sur lui son regard *et l'aima. Et il lui dit : « Une seule chose te manque : va, vends tout ce que tu as... puis, viens, suis-moi »* (Marc, 10, 17-21).

Une servante vit (Pierre) assis près de la flamme et, le dévisageant, elle dit : « Celui-là aussi était avec lui ! » Mais il le nia : « Femme, je ne le connais pas » ... *A l'instant même, comme il parlait encore, le coq chanta, et le Seigneur, se retournant,* fixa son regard sur Pierre. *Pierre alors se souvint de la parole du Seigneur... Et sortant dehors, il pleura amèrement* (Luc, 22, 56-57 et 60-62).

Quand il fut proche, à la vue de la ville (Jésus) se lamenta sur elle, en disant : « Ah ! si en ce jour tu avais compris, toi aussi, le message de paix ! » (Luc, 19, 41-42).

(André) amena (son frère Simon) à Jésus. Jésus le regarda *et dit : « Tu es Simon, le fils de Jean; tu t'appelleras Céphas »* (Jean, 1, 42).

« La lampe du corps, c'est l'œil. Si donc ton œil est sain, ton corps tout entier sera dans la lumière. Mais si ton œil est malade, ton corps tout entier sera dans les ténèbres » (Matth., 6, 22).

Maintenant, je vais clore, Seigneur, mes paupières,
Car mes yeux ont ce soir achevé leur service.
Et mon regard, en mon âme, va rentrer
Après s'être promené une journée dans le jardin des hommes.

58

Merci, Seigneur, pour mes yeux, fenêtres ouvertes sur le grand
       large;
Merci pour le regard qui transporte mon âme comme le rayon
       généreux conduit la lumière et la chaleur de ton soleil.
Je te prie dans la nuit, afin que, demain, lorsque j'ouvrirai
       mes yeux au matin clair,
Ils soient prêts à servir et mon âme et son Dieu.

Fais que mes yeux soient clairs, Seigneur,
Et que mon regard tout droit donne faim de pureté;
Fais qu'il ne soit jamais un regard déçu,
                              désabusé,
                              désespéré,

Mais qu'il sache admirer,
                     s'extasier,
                     contempler.

Donne à mes yeux de savoir se fermer pour mieux Te
       retrouver;
Mais que jamais ils ne se détournent du Monde parce qu'ils
       en ont peur.
Donne à mon regard d'être assez profond pour reconnaître
       Ta Présence dans le Monde,
Et fais que jamais mes yeux ne se ferment sur la misère des
       hommes.

Que mon regard, Seigneur, soit net et ferme
Mais qu'il sache s'attendrir,
Et que mes yeux soient capables de pleurer.

Fais que mon regard ne salisse pas celui qu'il touche,
Qu'il ne trouble pas mais qu'il apaise.
Qu'il n'attriste pas mais qu'il communique la Joie.
Qu'il ne séduise pas pour retenir captif,
Mais qu'il invite et entraîne à se dépasser,

Fais qu'il gêne le pécheur parce qu'il y reconnaît Ta lumière,
Mais qu'il ne soit un reproche que pour encourager.

Fais que mon regard bouleverse, parce que c'est une ren-
   contre, la Rencontre de Dieu.
Qu'il soit l'appel,
      le coup de clairon
      qui mobilise tout le Monde sur le pas de sa porte,
Non à cause de moi, Seigneur,
Mais parce que Tu vas passer.

Pour que mon regard soit tout cela, Seigneur,
Une fois de plus, ce soir,
Je Te donne mon âme;
Je Te donne mon corps;
Je Te donne mes yeux
Afin qu'en regardant les hommes mes frères,
Ce soit Toi qui les regarde,
Et de chez moi leur fasse signe.

Aimer
Prière de l'adolescent

L'adolescence, ce n'est pas « l'âge bête », c'est l'âge splendide, celui où Dieu, par les lois de sa nature, met au corps et au cœur du jeune un appel profond vers un autre corps que le sien, vers un autre cœur.

Puisse le jeune avoir alors quelqu'un pour le lui dire, des parents qui l'aiment assez pour ne pas le retenir égoïstement, mais diriger son regard vers la route nouvelle et claire où paraîtra une autre.

Puisse-t-il avoir un ami, un frère qui l'aide à sortir de chez lui et se donner aux autres, sinon il deviendra esclave de lui-même, incapable d'aimer [1].

*
**

« Nous savons que nous sommes passés de la mort à la vie, parce que nous aimons nos frères. Qui n'aime pas demeure dans la mort...
... Voici à quoi nous avons connu l'Amour : celui-là a offert sa vie pour nous. Et nous devons, nous aussi, offrir notre vie pour nos frères » (1 Jean, 4, 7-8).

Bien-aimés, aimons-nous les uns les autres, puisque l'amour est de Dieu... Qui n'aime pas n'a pas connu Dieu, car Dieu est Amour (1 Jean, 4, 7-8).

*
**

Je voudrais aimer, Seigneur,
J'ai besoin d'aimer.
Tout mon être n'est que désir :
Mon cœur,
Mon corps
    se tendent dans la nuit vers un inconnu à aimer.
Mes bras battent l'air et je ne puis saisir d'objet à mon
    amour.
Je suis seul et voudrais être deux.

---

[1] On pourra lire ensuite la prière de celui qui a raté la sortie de soi-même : « Seigneur, délivre-moi de moi », page 127.

Je parle et personne n'est là pour m'écouter.
Je vis et personne n'est là pour cueillir ma vie.
Pourquoi être si riche et n'avoir personne à enrichir ?
D'où vient cet amour ?
Où va-t-il ?
Je voudrais aimer, Seigneur.
J'ai besoin d'aimer.

Voici ce soir, Seigneur, tout mon amour inemployé.

*
* *

Ecoute, petit,
Arrête-toi,
    et fais, silencieux, un long pèlerinage jusqu'au fond de
    ton cœur.
Marche le long de ton amour tout neuf, comme on remonte
    le ruisseau pour en trouver la source,
Et tout au bout, tout au fond, dans l'infini mystère de ton
    âme troublée, c'est Moi que tu rencontreras,
Car je m'appelle l'Amour, mon petit,
Et je ne suis qu'Amour, depuis toujours,
Et l'Amour est en toi.

C'est Moi qui t'ai fait pour aimer,
Pour aimer éternellement;
Et ton amour passera par une autre toi-même.
C'est elle que tu recherches;
Rassure-toi, elle est sur ta route,
    en route depuis toujours,
        sur la route de mon Amour.
Il faut attendre son passage,
Elle approche,
Tu t'approches,
Vous vous reconnaîtrez,
Car J'ai fait son corps pour toi, J'ai fait le tien pour elle.
J'ai fait ton cœur pour elle, J'ai fait le sien pour toi
Et vous vous rechercherez, dans la nuit,
Dans « Ma nuit », qui deviendra Lumière si vous Me faites
    confiance.

Garde-toi pour elle, Mon petit,
Comme elle se garde pour toi.
Je vous garderai l'un pour l'autre,
Et, puisque tu as faim d'amour, J'ai mis sur ta route tous tes
    frères à aimer.
Crois-Moi, c'est un bien long apprentissage que l'amour,
Et il n'y a pas plusieurs sortes d'amour :
Aimer, c'est toujours se laisser pour aller vers les autres...

*
**

Seigneur, aide-moi à m'oublier pour mes frères les hommes,
Afin qu'en me donnant je m'apprenne à aimer.

Ce n'est pas facile d'aimer et si trop souvent nos amours ratent, n'est-ce pas à cause d'une affreuse méprise ? N'étaient-ils pas que « le choc de deux égoïsmes » dont parle Van der Meersch dans *Corps et âmes* ? Avions-nous seulement réussi à franchir nos propres limites ? Si le véritable amour donne la Joie il s'achète par la souffrance.

*
* *

« Ils ne sont plus deux, mais une seule chair, Donc que l'homme ne sépare pas ce que Dieu a uni » (Marc, 10, 8-9).

« Les maris doivent aimer leurs femmes comme leur propre corps. Aimer sa femme, n'est-ce pas s'aimer soi-même ? Or nul n'a jamais haï sa propre chair; on la nourrit, au contraire, et on en prend bien soin. C'est justement ce que le Christ fait pour l'Eglise : ne sommes-nous pas les membres de son Corps ? Voici donc que l'homme quittera son père et sa mère pour s'attacher à sa femme, et les deux ne feront qu'une seule chair : ce mystère est de grande portée; je veux dire qu'il s'applique au Christ et à l'Eglise... Bref, en ce qui vous concerne, que chacun aime sa femme comme lui-même, et que la femme révère son mari » (Ephés., 5, 28-33).

*
* *

Il était près de midi quand je frappais à sa porte.
J'ai trouvé Marcel seul, encore couché dans un lit maintenant
    trop grand pour lui;
Sa femme l'a quitté il y a quelques jours.
Ça m'a fait mal, Seigneur, ce pauvre type découragé, cette
    maison à moitié vide.
Une présence manquait,
Un amour manquait.
Je n'ai pas vu le bouquet de fleurs sur la cheminée,
    le poudrier et le bâton de rouge sur la tablette du lavabo,
    le napperon sur la commode et les chaises sagement
    rangées.

J'ai trouvé les draps sales sur un lit fripé comme une vieille,
les cendriers pleins et débordants,
les chaussures traînant sur le parquet,
des paquets déballés dispersés dans la pièce,
un torchon sur le fauteuil et les persiennes fermées.
C'était triste, sombre et sentant mauvais.

Ça m'a fait mal, Seigneur.
J'ai senti quelque chose de déchiré,
quelque chose de déséquilibré,
Comme un mécanisme faussé,
Comme un homme aux membres cassés.

Et j'ai pensé que ce que Tu avais prévu était bien,
Et qu'il ne peut y avoir d'ordre et de beauté, d'Amour et de
Joie, hors de Ton Plan.

*
* *

Je Te prie ce soir, Seigneur,
pour Marcel et... pour elle
et pour l'autre
et pour la femme de l'autre
et pour ses gosses
et pour les familles partisanes
et pour les voisins qui bavardent
et pour les collègues qui jugent.

Je Te demande pardon
pour toutes ces déchirures,
pour toutes ces blessures,
et pour ton sang versé, à cause de ces plaies, en ton
Corps Mystique.
Je Te prie ce soir, Seigneur, pour moi et pour tous mes
amis,
Apprends-nous à aimer.

*
* *

Ce n'est pas facile d'aimer, mon petit.
Souvent vous croyez aimer, vous ne faites que vous aimer, et vous ratez tout, vous cassez tout.

Aimer, c'est se rencontrer, et pour se rencontrer il faut accepter de sortir de chez soi pour aller au-devant d'un autre.
Aimer, c'est communier et pour communier il faut s'oublier pour un autre,
Il faut mourir à soi totalement pour un autre.
Aimer, ça fait mal, tu sais, mon petit.
Car depuis le péché, écoute bien, aimer, c'est se Crucifier pour un autre.

Seigneur, il me fait mal.
Je le regarde de loin et ne puis l'approcher,
Il me regarde et ne peut m'approcher.

Je souffre,
Il souffre,
Il souffre surtout, et je ne puis le supporter, car mon amour
  est trop court, Seigneur, et chaque fois que de chez moi
  je jette un pont pour atteindre sa solitude, le pont est
  trop petit et ne touche pas son rivage.
Et je le vois, au bord de sa souffrance, qui hésite, prend son
  élan, se tend, mais revient en arrière désespéré, car la
  distance est trop grande et le fardeau trop lourd.
Hier, Seigneur, il s'est penché vers moi, a dit un mot puis
  s'est repris; tout son corps a tremblé sous le poids du
  secret qui s'approchait mais roulait à nouveau au fond
  de sa solitude.
Il n'a pas pleuré, mais j'ai dû essuyer les grosses gouttes de
  sueur qui perlaient de son front.
Je ne peux pas lui prendre son fardeau, il faut qu'il me le
  donne.
Je le vois, et je ne peux le saisir.
Tu ne le veux pas, Seigneur, puisqu'il ne le veut pas.
Je n'ai pas le droit de violer sa souffrance.

Je pense ce soir, Seigneur, à tous les isolés,
A tous ceux qui sont seuls, affreusement seuls,
Parce qu'ils ne se sont jamais donnés à porter à quelqu'un,
Parce qu'ils ne se sont jamais donnés à Toi, Seigneur.
Ceux qui savent quelque chose que jamais d'autres ne sau-
  ront;
Ceux qui souffrent d'une place que jamais personne ne
  pourra soigner;
Ceux qui saignent d'une blessure que jamais personne ne
  guérira;
Ceux qui sont marqués par un coup terrible que jamais
  personne ne soupçonnera;
Ceux qui ont enfermé, dans le terrifiant silence de leur cœur,
  des moissons d'humiliations, de désespoirs, de haines;
Ceux qui ont caché un péché de mort et qui sont froid tombeau à la façade peinte.

La solitude de l'homme m'effraye, Seigneur,
Tout homme est seul puisqu'il est unique,
Et cette solitude est sacrée; lui seul peut la rompre, se dire
    à un autre, et recevoir un autre.
Lui seul peut passer de la solitude à la communion.
Et Tu veux, Seigneur, cette communion, Tu veux que nous
    soyons unis les uns aux autres,
Malgré les profonds fossés que nous avons creusés entre
    nous par le péché,
Tu veux que nous soyons unis comme Ton Père et Toi vous
    êtes unis.

Seigneur, ce gosse me fait mal ainsi que tous les solitaires, ses
    frères,
Donne-moi de les aimer assez pour briser leur solitude,
Donne-moi de passer dans le Monde toutes portes ouvertes,
Ma maison entièrement vide, disponible, accueillante.
Aide-moi à m'éloigner de chez moi pour ne gêner personne,
Pour que les autres puissent entrer sans rien demander,
Pour qu'ils puissent déposer leur fardeau sans être vus.
Et je viendrai, silencieusement, les chercher la nuit
Et Tu m'aideras, Seigneur, à les porter.

Il faut savoir dire Merci. Nos journées sont riches des cadeaux que nous fait le Seigneur. Si nous savions les regarder et les inventorier, nous serions, le soir, comme une « reine d'un jour » éblouis et heureux de tant de biens offerts. Nous serions alors reconnaissants devant Dieu, confiants parce qu'Il nous donne tout, joyeux parce que nous savons que tous les jours Il renouvellera ses cadeaux.

Tout est don de Dieu, même les plus petites choses et c'est l'ensemble de ces présents qui font une vie, belle ou sombre, suivant la façon dont on les utilise.

*
* *

« *Tout don excellent, toute donation parfaite vient d'en haut et descend du Père des lumières, chez qui n'existe aucun changement ni l'ombre d'une volte-face* » (Jacques, 1, 17).

*
* *

Merci, Seigneur, Merci.
Merci pour tous les cadeaux que Tu m'as offerts aujourd'hui,
Merci pour tout ce que j'ai vu, entendu, reçu.

Merci pour l'eau qui m'a réveillé, le savon qui sent bon, le
	dentifrice qui rafraîchit.
Merci pour les habits qui me protègent, pour leur couleur et
	pour leur coupe.

Merci pour le journal fidèle au rendez-vous, pour l'histoire
	de Pitchounet, sourire du matin, les sérieuses réunions qui
	se poursuivent, la justice rendue et le match gagné.
Merci pour l'auto-poubelle et les hommes qui l'accompagnent,
	pour leurs cris matinaux et les bruits de la rue qui
	s'éveille.
Merci pour mon travail, mes outils, mes efforts.

Merci pour le métal en mes mains, pour sa longue plainte sous l'acier qui le mord, pour le regard satisfait du contremaître et le chariot des pièces achevées.

Merci pour Jacques qui m'a prêté sa lime, Dany qui m'a donné une cigarette, Charles qui m'a tenu la porte.

Merci pour la rue accueillante qui m'a porté, pour les devantures des magasins, pour les voitures, pour les passants, pour toute la vie qui coulait rapide entre les murs ajourés des maisons.

Merci pour la nourriture qui m'a soutenu, pour le verre de bière qui tantôt m'a désaltéré.

Merci pour la moto qui docilement m'a conduit là où je désirais, pour l'essence qui l'a fait tourner, pour le vent qui m'a caressé le visage et pour les arbres qui m'ont salué au passage.

Merci pour le gosse que j'ai regardé jouer sur le trottoir d'en face,

Merci pour ses patins à roulettes et pour l'air drôle qu'il avait lorsqu'il est tombé.

Merci pour les bonjours qu'on m'a souhaités,
pour les poignées de main que j'ai données,
pour les sourires qu'on m'a offerts.

Merci pour maman qui m'accueille à la maison, pour son affection discrète, pour sa silencieuse présence.

Merci pour le toit qui m'abrite, pour la lumière qui m'éclaire, pour le poste qui chante.

Merci pour le journal parlé, pour les speakers et pour les chanteurs.

Merci pour le bouquet de fleurs, petit chef-d'œuvre sur ma table.

Merci pour la nuit paisible.
Merci pour les étoiles.
Merci pour le silence.

Merci pour le temps que Tu m'as donné.
Merci pour la vie.
Merci pour la grâce.

Merci d'être là, Seigneur.
Merci de m'écouter, de me prendre au sérieux,
de recevoir en Tes mains la gerbe de mes dons pour
l'offrir à Ton Père.
Merci Seigneur,
Merci.

Le prêtre : prière du dimanche soir

Les chrétiens sont exigeants pour leur prêtre. Ils ont raison. Mais ils doivent savoir que c'est dur d'être prêtre. Celui qui s'est donné dans toute la générosité de sa jeunesse demeure un homme, et chaque jour l'homme en lui tâche de reprendre ce qu'il a livré. C'est une lutte continuelle pour demeurer totalement disponible au Christ et aux autres.

Le prêtre n'a pas besoin de compliments ou de cadeaux embarrassants; il a besoin que les chrétiens dont il a spécialement la charge, en aimant de plus en plus leurs frères, lui prouvent qu'il n'a pas donné sa vie en vain. Et comme il reste un homme, il peut avoir besoin une fois d'un geste délicat d'amitié désintéressée... un dimanche soir où il est seul.

⁎⁎

« Suivez-moi, et je ferai de vous des pêcheurs d'hommes » (Marc, 1, 17).

« Ce n'est pas vous qui m'avez choisi, mais c'est moi qui vous ai choisis et vous ai destinés à aller porter du fruit, et un fruit qui demeure » (Jean, 15, 16).

« Oubliant le chemin parcouru, je vais droit de l'avant, tendu de tout mon être, et je cours vers le but, en vue du prix que Dieu nous appelle à cueillir là-haut, dans le Christ Jésus » (Philipp., 3, 13-14).

⁎⁎

Seigneur, ce soir, je suis seul.
Peu à peu, les bruits se sont tus dans l'église,
Les personnes s'en sont allées,
Et je suis rentré à la maison,
Seul.

J'ai croisé les gens qui rentraient de promenade.
Je suis passé devant le cinéma qui rejetait sa portion de foule.

73

J'ai longé les terrasses de cafés où les promeneurs, fatigués,
    tentaient de prolonger la joie de vivre un dimanche de
    fête.
Je me suis heurté aux gosses qui jouaient sur le trottoir,
Les gosses, Seigneur,
Les gosses des autres, qui ne seront jamais les miens.

Me voici Seigneur,
Seul.
Le silence me gêne,
La solitude m'oppresse.

. . . .

Seigneur, j'ai 35 ans.
Un corps fait comme les autres,
Des bras neufs pour le travail,
Un cœur réservé pour l'amour,
Mais je T'ai tout donné.
C'est vrai que Tu en avais besoin ?
Je T'ai tout donné, mais c'est dur, Seigneur.
C'est dur de donner son corps : il voudrait se donner à
    d'autres.
C'est dur d'aimer tout le monde et de ne garder personne.
C'est dur de serrer une main sans vouloir la retenir.
C'est dur de voir naître une affection, et de Te la donner.
C'est dur de n'être rien à soi pour être tout à eux.
C'est dur d'être comme les autres, parmi les autres et d'être
    un autre.
C'est dur de toujours donner sans chercher à recevoir.
C'est dur d'aller au-devant des autres, sans que jamais quel-
    qu'un vienne au-devant de soi.
C'est dur de souffrir des péchés des autres sans pouvoir refuser
    de les accueillir et de les porter.
C'est dur de recevoir les secrets, sans pouvoir les partager.
C'est dur de toujours entraîner les autres et de ne jamais
    pouvoir, un instant seulement, se faire traîner.
C'est dur de soutenir les faibles sans pouvoir s'appuyer soi-
    même sur un fort.
C'est dur d'être seul,
Seul devant tous,

Seul devant le Monde,
Seul devant la souffrance,
    la mort,
    le péché.

*
**

Fils, tu n'es pas seul,
Je suis avec toi,
Je suis toi.
Car j'avais besoin d'une humanité de surcroît pour continuer
    Mon Incarnation et Ma Rédemption.
De toute éternité, Je t'ai choisi,
J'ai besoin de toi.

J'ai besoin de tes mains pour continuer de bénir,
J'ai besoin de tes lèvres pour continuer de parler,
J'ai besoin de ton corps pour continuer de souffrir,
J'ai besoin de ton cœur pour continuer d'aimer,
J'ai besoin de toi pour continuer de sauver,
Reste avec Moi, fils.

*
**

Me voici, Seigneur;
Voici mon corps,
Voici mon cœur,
Voici mon âme.
Donne-moi d'être assez grand pour atteindre le Monde,
Assez fort pour pouvoir le porter,
Assez pur pour l'embrasser sans vouloir le garder.
Donne-moi d'être terrain de rencontre, mais terrain de pas-
    sage,
Chemin qui n'arrête pas à lui parce qu'il n'y a rien à y
    cueillir qui ne mène vers Toi.

Seigneur, ce soir, tandis que tout se tait et qu'en mon cœur
    je sens durement cette morsure de la solitude,

Tandis que les hommes me dévorent l'âme et que je me sens impuissant à les rassasier,

Tandis que sur mes épaules le Monde entier pèse de tout son poids de misère et de péché,

Je Te redis mon oui, non dans un éclat de rire, mais lentement, lucidement, humblement,

Seul, Seigneur, devant Toi,

Dans la paix du soir.

J'ai pris la parole, Seigneur

La parole est un don de Dieu. Nous devrons en rendre compte. C'est par la parole que nous communiquons d'âme à âme, c'est par elle que nous nous « révélons ». Nous n'avons pas le droit de nous taire, mais parler est grave et nous devons peser nos paroles sous le regard de Dieu.

.∴.

« Je vous le dis : de toute calomnie qu'on aura proférée, il faudra rendre compte au Jour du Jugement. Car c'est d'après tes paroles que tu seras justifié, comme c'est d'après tes paroles que tu seras condamné » (Matth., 12, 36-37).

« Ce n'est pas en me disant : Seigneur, Seigneur, qu'on entrera dans le Royaume des Cieux, mais c'est en faisant la volonté de mon Père qui est aux cieux. Beaucoup me diront en ce jour-là : « Seigneur, Seigneur, n'est-ce pas en ton Nom que nous avons chassé les démons ? en ton Nom que nous avons fait bien des miracles ? » Alors je leur dirai en face : « Jamais je ne vous ai connus; écartez-vous de moi, vous qui commettez l'iniquité » (Matth., 7, 21-23).

.∴.

J'ai pris la parole, Seigneur, et je rage,
Je rage car je me suis remué, dépensé, du geste et de la voix.
Je me suis mis tout entier dans mes phrases, mes mots,
Et je crains que l'essentiel n'ait pas été livré.
Car l'essentiel n'est pas en mon pouvoir, Seigneur, et les mots
    sont trop étroits pour le contenir.

J'ai pris la parole, Seigneur, et je suis inquiet,
J'ai peur de parler, car c'est grave;
C'est grave de déranger les autres, de les faire sortir de chez
    eux, de les immobiliser sur le pas de leur porte;
C'est grave de les retenir de longues minutes, mains tendues,
    cœur tendu, quêtant une lumière ou bien une part de
    courage pour vivre et pour agir.
Si j'allais, Seigneur, les renvoyer les mains vides !

Soutiens-moi lorsque je dois prendre la parole dans une
assemblée, intervenir dans une discussion, converser avec
un frère.
Fais surtout, Seigneur, que ma parole soit une semence
Et que ceux qui reçoivent mes mots puissent espérer une
belle moisson.

Ce visage, Seigneur, m'a obsédé

Si de toutes nos forces, à la place où le Père nous a mis, nous ne luttons pas contre le Monde en désordre, nous ne sommes pas de vrais chrétiens. Nous n'aimons pas Dieu. Car Il l'a dit par saint Jean : « Celui qui n'aime pas son frère qu'il voit, ne saurait aimer Dieu qu'il ne voit pas. » (1 Jean, 4, 20), et « Petits enfants, n'aimons ni de mots ni de langue, mais *en actes, véritablement* » (1 Jean, 3, 18).

Mais ce n'est pas de laver et poudrer un visage qui peut mettre une conscience chrétienne en paix, c'est de rechercher et s'attaquer à tous les désordres sociaux et moraux qui ont fait ce visage.

Les pauvres nous jugeront.

.·.

« *Ceux qui auront été condamnés demanderont : « Seigneur, quand nous est-il arrivé de Te voir affamé ou assoiffé, sans gîte ou sans vêtement, malade ou prisonnier, et de ne Te point secourir ? » Alors le Roi leur répondra : « En vérité je vous le dis, dans la mesure où vous n'avez rien fait pour l'un de ces tout petits, pour moi non plus vous n'avez rien fait* » (Matth., 25, 44-45).

.·.

Ce visage, Seigneur, m'a obsédé toute la soirée;
Il est un reproche vivant,
Un long cri qui m'atteint en ma tranquillité.
Il est jeune ce visage, Seigneur, et pourtant les péchés des
        hommes se sont acharnés sur lui;
Il était sans défense, exposé à leurs coups.

Ils sont venus de partout;
La misère est venue,
Le baraquement,
Le lit défoncé,
L'air empesté,
La fumée,
L'alcool,

La faim,
L'hôpital,
Le sana.

Le travail écrasant,
Le travail humiliant,
Le chômage,
La crise,
La guerre.

Les bals ensorcelants,
Les chansons dégoûtantes,
Les films exaspérants,
La musique languissante,
Les sales baisers menteurs

La lutte pour la vie,
La révolte,
La bagarre,
Les cris,
Les coups,
La haine.

Ils sont venus de partout;
Horribles égoïsmes des hommes aux mille visages affreux
    avec leurs gros doigts sales,
    leurs ongles cassés,
    leurs souffles empestés.
Ils sont accourus des limites du monde,
    des limites du temps,
    de partout, de toujours,
Et lentement, les uns après les autres,
Ou brusquement, tous ensemble, comme des brutes,
Ils ont tapé,
       fouetté,
       cinglé,
       travaillé,
       modelé,
       enfoncé,
       martelé,
       buriné,
       sculpté.

Et le voici enfin ce Visage, ce pauvre visage;
Ils ont mis dix-huit ans pour me le montrer,
Ils ont mis des centaines de siècles pour le produire.
Ecce Homo : voici l'homme.

Voici ce pauvre visage d'homme, comme un livre ouvert,
Le livre de la misère et du péché des hommes;
    le livre de l'égoïsme,
           de l'orgueil,
           de la lâcheté;
    le livre des cupidités,
           des sensualités,
           des démissions,
           des compromissions.

Le voici comme une plainte douloureuse,
    comme un cri de révolte,
    mais aussi comme un appel déchirant,
Car tout au fond de cette ridicule face grimaçante,
Au centre de ces yeux troubles,
Comme les deux mains jointes du noyé, toutes blanches au-
    dessus de l'eau sombre du bassin
Une lueur,
Une flamme,
Une supplication tragique,
L'infini désir d'une âme qui voudrait vivre au-delà de sa boue.

Seigneur, ce visage m'obsède, il me fait peur, il me con-
    damne;
Car avec tous les autres, je l'ai fait, ou je l'ai laissé faire !
Et j'ai pensé, Seigneur, que ce garçon était mon frère, et qu'il
    était le tien.

Qu'est-ce que nous avons fait d'un membre de Ta famille !

Je crains Ton Jugement, Seigneur,
Il me semble qu'à la fin des temps tu feras défiler devant
    moi tous les visages des hommes mes frères, et spéciale-
    ment ceux de ma ville, de mon quartier, de mon travail.

A Ta lumière impitoyable je lirai ces visages,
    la ride que j'ai creusée,
    la bouche que j'ai tordue,
    la grimace que j'ai sculptée,
    le regard que j'ai obscurci
    et celui que j'ai éteint.

Ils viendront tous, inexorables, s'exposer à moi, mannequins
    vengeurs de la misère et du péché;
Ils viendront, ceux que j'ai connus et ceux que je n'ai pas
    connus, ceux de mon temps et les autres, tous les autres
    qui les ont suivis dans l'atelier du Monde.

Et je resterai immobile, terrifié, silencieux.
C'est alors, ô Seigneur, que Tu me diras.

                . . . « C'était moi . . . »

. . . .

Seigneur, Pardon pour ce visage qui m'a condamné,
Seigneur, Merci pour ce visage qui m'a réveillé.

Tous les hommes sont nos frères. Le sang du Christ a fait de nous les fils du même Père. Or quand dans une famille un membre souffre et meurt, les autres membres sont dans la peine. Nous savons maintenant que des milliers d'hommes meurent de faim, chaque année, dans le Monde. Nous ne pouvons plus vivre comme avant. Même si les moyens financiers le permettent, vivre selon un autre train de vie bien au-dessus que le correct nécessaire — et nous le répétons une fois de plus — vivre sans lutter de toutes nos forces, à notre place, pour un Monde plus juste, est un péché.

*
*

« Il y avait un homme riche qui s'habillait de pourpre et de lin fin, et qui chaque jour faisait brillante chère. Et un pauvre, du nom de Lazare, gisait à sa porte, tout couvert d'ulcères. Il aurait bien voulu se rassasier de ce qui tombait de la table du riche... Bien plus, les chiens eux-mêmes venaient lécher ses ulcères... » (Luc, 16, 19-21).

Jésus dit à ses disciples : « Faites-les s'étendre... » Prenant alors les cinq pains et les deux poissons, Jésus leva ses yeux au ciel, les bénit, les rompit et les donna à ses disciples pour les distribuer à la foule. Tous mangèrent à satiété (Luc, 9, 14-17).

*
*

J'ai mangé,
J'ai trop mangé.
J'ai mangé pour faire comme les autres.
Parce que j'étais invité.
Parce que j'étais dans le monde et que le monde n'aurait pas
    compris;
Et chaque plat,
Et chaque bouchée,
Et chaque gorgée avaient du mal à passer.
J'ai trop mangé, Seigneur.
Tandis qu'au même instant, dans ma ville, plus de 1 500 personnes — boîte de conserve en main — faisaient la queue
    à la soupe populaire,

Tandis que cette femme mangeait, dans sa soupente, ce qu'elle avait ramassé le matin dans les poubelles,

Tandis que ces gosses, dans leur blockhaus, se partageaient les restes froids du maigre repas des vieux de l'Hôpital,

Tandis que dix, cent, mille malheureux, à l'instant même, dans le Monde, se tordaient de douleur, mouraient de faim devant leurs proches désespérés.

Seigneur, c'est atroce, car je sais,
Les hommes savent maintenant.
Ils savent que non seulement quelques malheureux ont faim, mais des centaines à la porte de chez eux.
Ils savent que non seulement quelques centaines de malheureux, mais des milliers ont faim aux frontières de leur pays.
Ils savent que non seulement des milliers, mais des millions ont faim, à travers le Monde.
Les hommes ont dressé la carte de la faim;
Les zones de mort sont là, qui s'imposent, terribles.
Les chiffres dressent leur implacable vérité.
Pour plus de 800 millions d'êtres humains, le minimum mensuel du Français représente le maximum annuel.
Un tiers de l'humanité est sous-alimenté.
Plusieurs millions d'hommes meurent de faim au cours d'une seule famine aux Indes.
Les Hindous vivent en moyenne à peine 26 ans.

Seigneur, Tu vois cette carte, Tu lis ces chiffres.
Non comme le statisticien calme en son bureau,
Mais comme un Père de famille nombreuse penché sur le front de chacun de ses fils.

Seigneur, Tu vois cette carte, Tu lis ces chiffres depuis toujours.
Tu la voyais. Tu les lisais quand Tu racontais pour moi l'histoire du riche attablé et du pauvre Lazare affamé;
Tu la voyais, Tu les lisais quand Tu racontais pour moi le Jugement dernier.

« ... J'ai eu faim... »

Seigneur, Tu es terrible !
C'est Toi qui fais la queue à la soupe populaire,
C'est Toi qui manges les reliefs des poubelles,
C'est Toi qui agonises torturé par la faim,
C'est Toi qui meurs seul dans un coin à 26 ans,
Tandis que dans l'autre coin de la grande salle du Monde —
    avec quelques membres de notre famille — je mange
    sans avoir faim, ce qu'il faudrait pour Te sauver.

« ... J'ai eu faim... »

Tu pourras toujours me dire cela, Seigneur, si j'arrête un
    seul instant de me donner.
Je n'aurai jamais fini de servir la soupe à mes frères, ils sont
    trop nombreux.
Il y en aura toujours qui n'auront pas eu leur part.
Je n'aurai jamais fini de lutter pour obtenir la soupe pour
    tous mes frères.

Seigneur, ce n'est pas facile de donner à manger au Monde.
J'aime mieux faire ma prière, régulièrement, proprement,
J'aime mieux visiter mon pauvre,
J'aime mieux donner aux kermesses et aux orphelinats;
Mais ce n'est donc pas assez.
Ce n'est donc rien, si un jour Tu peux me dire : « J'ai eu
    faim ! »

. . . .

Seigneur, je n'ai plus faim,
Seigneur, je ne veux plus avoir faim.
Seigneur, je ne veux plus manger que ce qu'il me faut pour
    vivre, pour Te servir et lutter pour mes frères.
Car Tu as faim, Seigneur,
Car Tu meurs de faim, tandis que je suis rassasié.

Le logement

Le problème du logement est tragique dans toutes les grandes villes du Monde. Il faut le savoir. C'est un premier devoir. Beaucoup de bien-logés n'ont jamais circulé dans les quartiers pauvres de leur ville. Ensuite il faut parler. L'opinion publique est une force et c'est chacun de nous qui la fait. Enfin il y a de nombreux organismes qui réclament notre action et au moins l'appui de notre adhésion. Si nous aimons nos frères, nous trouverons toujours le moyen, à notre place, de faire quelque chose pour eux.

⁂

« Si un frère ou une sœur sont nus, s'ils manquent de leur nourriture quotidienne, et que l'un d'entre vous leur dise : « Allez en paix, chauffez-vous, rassasiez-vous » sans leur donner ce qui est nécessaire à leur corps, à quoi cela sert-il ? » (Jacques, 2, 15-16).

⁂

Seigneur, je ne pouvais dormir et pour te mieux prier, je me suis relevé.

Il fait nuit dehors et le vent souffle, et la pluie tombe.

Et trouant l'obscurité, les lumières de la ville annoncent des vivants.

Elles me gênent, Seigneur, ces lumières, pourquoi les avoir allumées à mes yeux ?

Elles m'ont appelé et maintenant elles me retiennent captif, tandis que traîtreusement les souffrances de la ville murmurent leur tragique complainte;

Et je ne puis y échapper, Seigneur, je les connais trop, ces souffrances.

Je les vois qui m'apparaissent,

Je les entends qui me parlent,

Je les sens qui me giflent,

Car je les sais, Seigneur,

Je les sais tandis que j'allais m'endormir.

Je sais que dans cette unique pièce, se mêle l'haleine empestée de treize personnes entassées [1].

Je sais qu'une mère accroche au plafond la table et les chaises, pour étendre les paillasses.

Je sais que les rats s'approchent pour dévorer les croûtes et mordre les bébés.

Je sais que l'homme se lève pour tendre la toile cirée au-dessus du lit trempé de ses quatre enfants.

Je sais que la maman toute la nuit reste debout car il n'y a de place que pour un lit, et les deux enfants sont malades.

Je sais que l'homme ivre vomit sur le petit qui dort à côté de lui.

Je sais que le gars s'enfuit seul dans la nuit parce qu'il en a marre.

Je sais que les hommes se battent pour les femmes car ils sont trois ménages dans le même grenier.

Je sais que l'épouse écarte son époux, car il n'y a pas de place pour un nouveau fils à la maison.

Je sais qu'un enfant doucement agonise s'apprêtant à rejoindre là-haut ses quatre petits frères.

Je sais,

Je sais encore,

Je sais des centaines d'autres faits, tandis qu'en paix j'allais dormir entre mes draps tout blancs.

Je voudrais ne pas savoir, Seigneur,

Je voudrais que ce soient des histoires,

Je voudrais me persuader que je rêve,

Je voudrais qu'on me prouve que j'exagère,

Je voudrais qu'on me montre que tous ces gens ont tort, que c'est leur faute s'ils sont malheureux.

Je voudrais me rassurer, Seigneur, mais je ne peux plus, il est trop tard.

J'ai trop regardé,

J'ai trop écouté,

J'ai trop compté,

J'ai compté, Seigneur, et je crois que les chiffres implacables m'ont ravi pour toujours mon innocente tranquillité.

*
**

---

(1) Tous les faits cités sont absolument authentiques. Ils ont été relevés parmi des centaines d'autres semblables.

Tant mieux, mon petit,

Car Moi, votre Dieu, votre Père, Je suis fâché contre vous.

Je vous ai donné le Monde à l'origine des temps et dans mon immense propriété Je veux pour tous mes fils un toit digne de leur Père;

Je vous ai fait confiance, et votre égoïsme a tout gâté.

C'est un de vos plus grands péchés, un péché que vous êtes nombreux à porter ensemble.

Malheur à vous si par votre faute meurt un seul de Mes fils en son corps ou en son âme.

Je vous le dis, ceux-là Je leur donnerai les plus beaux logements en Mon grand paradis.

Mais les insouciants, les négligents, les égoïstes qui, bien à l'abri sur terre, ont oublié les autres, ils ont eu leur récompense.

Il n'y aura pas de place pour eux chez Moi.

Allons, mon petit, demande pardon ce soir pour toi et pour les autres,

Et demain, lutte de toutes tes forces, car Ton Père souffre de voir que, maintenant encore, il n'y a pas de place pour Son Fils à l'hôtellerie des hommes.

La souffrance est un mystère qui ne peut s'éclairer qu'à la lumière de la foi.

Le mal dans le Monde n'est pas voulu par Dieu. Les hommes ont méprisé son Plan (péché), ils ont déséquilibré l'homme et l'univers et fait naître la souffrance. Mais le Christ est venu réparer le désordre. De la souffrance inutile Il a fait l'objet même de la Rédemption.

∗∗∗

« C'était nos souffrances qu'il supportait, et de nos douleurs qu'il était accablé. Et nous autres, nous l'estimions châtié, frappé par Dieu et humilié. Il a été transpercé à cause de nos péchés, écrasé à cause de nos iniquités. Le châtiment qui nous sauve est sur lui, et c'est grâce à ses plaies que nous sommes guéris » (Isaïe, 53, 4-5).

∗∗∗

Cet après-midi, je suis allé visiter un malade à l'hôpital.
De pavillon en pavillon, j'ai dû parcourir cette Cité de la
    passion, devinant les drames que cachaient les murs clairs
    et les fleurs des pelouses.
Il m'a fallu traverser une première salle;
Je marchais sur la pointe des pieds à la recherche du malade,
J'effleurais du regard les gisants, comme l'infirmier touche
    délicatement une plaie pour ne pas faire souffrir.
Je me sentais mal à l'aise,
Comme un non-initié égaré dans un temple mystérieux,
Comme un païen dans la nef d'une église.
Tout au fond de la deuxième salle, j'ai trouvé mon malade,
Et devant lui, j'ai bredouillé, je ne savais que dire.

Seigneur, la souffrance me gêne, elle m'oppresse.
Je ne comprends pas pourquoi Tu l'autorises.
Pourquoi, Seigneur ?

Pourquoi ce petit innocent qui gémit depuis une semaine,
    atrocement brûlé ?
Cet homme qui agonise trois jours et trois nuits en réclamant
    sa mère ?
Cette femme cancéreuse que je trouve en un mois vieillie de
    dix années ?
Cet ouvrier tombé de son échafaudage, pantin cassé d'un peu
    moins de vingt ans ?
Cet étranger, pauvre épave isolée, qui n'est plus que plaie
    purulente ?
Cette fille plâtrée allongée sur une planche depuis plus de
    trente ans ?
Pourquoi, Seigneur ?
Je ne comprends pas.
Pourquoi cette souffrance dans le Monde
    qui heurte,
        ferme,
        révolte,
        brise ?
Pourquoi cette monstrueuse et hideuse souffrance qui frappe
    aveuglément, sans s'expliquer,
S'abat injustement sur le bon en épargnant le méchant,
Semble reculer, chassée par la science, mais revient sous un
    autre visage, plus puissante et plus subtile ?
Je ne comprends pas.
La souffrance est odieuse et elle me fait peur,
Car pourquoi ceux-là, Seigneur, et non les autres ?
Pourquoi ceux-là et non pas moi ?

*\
* *

Petit, ce n'est pas moi, ton Dieu, qui ai voulu la souffrance,
    ce sont les hommes.
Ils l'ont introduite dans le Monde en introduisant le péché,
Car le péché est un désordre et le désordre fait mal.
A tout péché, vois-tu, correspond quelque part dans le monde
    et dans le temps, une souffrance.
Et plus il y a de péché, et plus il y a de souffrance.

Mais je suis venu, Je les ai toutes prises, vos souffrances,
    comme J'ai pris vos péchés,
Je les ai prises et Je les ai souffertes avant vous,
Je les ai retournées, transfigurées. J'en ai fait un trésor.
Elles sont un mal, encore, mais un mal qui sert,
Car de vos souffrances, J'ai fait la Rédemption.

Il était au milieu de la rue

Le Monde est à ce point en désordre que beaucoup d'hommes sont obligés — pour gagner leur vie — de participer directement ou indirectement à des travaux qui forgent des armes pour tuer physiquement ou moralement d'autres hommes. Prisonniers de systèmes économiques en état de péché, certains sont astreints au mensonge et au vol.

Il faut que les uns et les autres souffrent profondément de cette tragique situation. Solidaires de ce Monde auquel ils n'ont pas le droit d'échapper seuls, ils doivent reconnaître le péché de leur milieu et s'en accuser. Mais de même qu'il n'y a de vraie contrition que si l'on cherche à changer sa vie, il n'y a de vraie souffrance face au milieu que si l'on travaille à transformer les structures inhumaines. C'est un devoir absolu dont rien ne peut dispenser le chrétien.

*
* *

« Vous êtes la lumière du monde. Une ville ne se peut cacher, qui est sise au sommet d'un mont. Et l'on n'allume pas une lampe pour la placer sous le boisseau, mais bien sur le lampadaire, où elle brille pour ceux qui sont dans la maison. Ainsi votre lumière doit-elle briller aux yeux des hommes » (Matth., 5, 14-16).

*
* *

Il était au milieu de la rue.
Titubant, il chantait à tue-tête de sa voix éraillée d'ivrogne
        invétéré.
Les gens se retournaient, s'arrêtaient, s'amusaient.
Un agent est venu, silencieusement, par derrière;
Il l'a brutalement saisi par l'épaule et emmené au poste.
Il chantait encore,
Les gens riaient.

Je n'ai pas ri.
J'ai pensé, Seigneur, à la femme qui ce soir attendrait vaine-
        ment.

J'ai pensé à tous les autres ivrognes de la ville,
     ceux des bistrots et des bars,
     ceux des salons et des surprises-parties.
J'ai pensé à leur retour, le soir, à la maison,
     aux gosses effarés,
     au porte-monnaie vide,
     aux coups,
     aux cris,
     aux pleurs,
     aux enfants qui naîtraient des puantes étreintes.

*
* *

Maintenant vous avez étendu votre nuit sur la ville, Seigneur,
Et tandis que se nouent et se dénouent des drames
Les hommes qui ont défendu l'alcool,
     fabriqué l'alcool,
     vendu l'alcool,
Dans la même nuit s'endorment en paix.
Je pense à tous ceux-là, ils me font pitié;
     ils ont fabriqué et vendu de la misère,
     ils ont fabriqué et vendu du péché.
Je pense à tous les autres, la foule des autres qui travaillent
     pour détruire et non pour construire,
     pour salir et non pour ennoblir,
     pour abêtir et non pour épanouir,
     pour avilir et non pour grandir.
Je pense spécialement, Seigneur, à cette multitude d'hommes
     qui travaillent pour la guerre,
     qui pour nourrir une famille doivent travailler à en
     détruire d'autres,
     qui pour vivre doivent préparer la mort.
Je ne Te demande pas de les enlever tous de leur labeur, ce
     n'est pas possible,
Mais fais, Seigneur, qu'ils se posent des questions,
     qu'ils ne dorment pas tranquilles,
     qu'ils luttent dans ce monde en désordre,
     qu'ils soient ferments,
     qu'ils soient rédempteurs.

*
* *

Pour tous les blessés de l'âme et du corps, victimes du travail
de leurs frères,
Par tous les morts dont les milliers d'hommes ont conscien-
cieusement fabriqué la mort,
Par cet ivrogne, grotesque clown au milieu de la rue,
Par l'humiliation et les larmes de sa femme,
Par la peur et les cris de ses gosses,
Seigneur, aie pitié de moi trop souvent somnolent,
Aie pitié des malheureux complètement endormis et compli-
ces d'un monde où des frères s'entre-tuent afin de gagner
leur vie.

Le bar et la prostituée

Dieu est partout. Il nous faut toujours purifier notre regard pour Le retrouver en tous les milieux et en toutes les personnes. Nous n'avons pas à porter Dieu aux autres, Il leur est présent, mais nous avons à Le rechercher chez eux, à Le rencontrer et à L'adorer sans cesse. Ensuite humblement nous devons travailler à écarter les obstacles qui L'empêchent de grandir.

*
* *

Lévi offrit à Jésus un grand festin dans sa maison; et il y avait à table avec eux une foule nombreuse de publicains et autres gens. Les Pharisiens et leurs scribes murmuraient et disaient à ses disciples : « Pourquoi mangez-vous et buvez-vous avec les publicains et les pécheurs ? » Mais Jésus prit la parole et leur dit : « Ce ne sont pas les gens en bonne santé qui ont besoin de médecin, mais les malades; Je ne suis pas venu appeler les justes au repentir, mais les pécheurs » (Luc, 5, 29-32).

*
* *

C'était un bar,
Comme tous les bars autour des gares, des ports, ailleurs.
Nous sommes entrés, Seigneur;
Une fille est venue, pauvre fille aux yeux prostitués.
J'ai senti son regard toucher nos visages et nos corps, comme une main sale touche l'étoffe encore propre, comme un doigt souillé se promène sur le mur fraîchement peint.
Elle faisait son choix.
J'ai eu peur qu'elle salisse.
Pour quelques francs un homme éméché, au sourire-grimace, déclencha le jazz mécanique.
En un instant le bar fut submergé de lumière criarde, de musique effrénée, de rythme épileptique.
Ils dansaient, couples grotesques, peinturlurés de jaune, de vert et de rouge,
Et se glissant parmi eux, un gosse,
Un petit gosse monstrueux au corps d'enfant mais au visage de vieux
Sautait, comme un pantin entre les mains du diable.

Seigneur, l'homme n'est même plus là
Où est le fils de Dieu ?
Où est la fille de Dieu ?

J'ai voulu « la » retrouver en lui disant au revoir,
La retrouver elle-même, pour elle-même,
Elle qu'on ne rencontre plus,
Elle qui s'est perdue,
Elle qui ne sait plus ce qu'elle est devenue.
J'ai voulu « la » regarder,
J'ai voulu « la » toucher,
J'ai voulu « lui » parler,
J'ai voulu « l' » aimer, celle que tu aimes, Seigneur, que tu
    chéris de toute éternité.
De Ta part, en la quittant, je lui ai serré la main;
Si j'avais osé, Seigneur, je l'aurais embrassée.

Je crois qu' « elle » m'a regardé lorsque je m'éloignais.

*
* *

C'était la nuit.
Je pensais qu'au même moment, bénédictins, trappistes, car-
    mélites et les autres,
Dans le silence et la pureté,
Touchaient Dieu de leur âme tendue.
Seigneur, j'ai souffert de Ton absence;
Tout me semblait lourd et vide,
Affreusement vide.
Et pourtant...
Pourtant, la lumière rouge m'a poursuivi,
Elle jalonne les rues des grandes villes, la nuit,
Elle signale les maisons de débauche,
Elle envahit les salles de plaisir,
Mais elle annonce aussi Ta présence en la chapelle obscure
    de l'abbaye.
O Seigneur, y a-t-il donc plusieurs lumières rouges en la Cité
    des Hommes,
Celle qui conduit jusqu'à Toi,
Et celle qui invite au péché ?
Ou bien, Seigneur,

Malgré le mal,
Malgré nous,
Malgré tout,
Etais-Tu là, hier soir,
Dans ce bar,
Près d'elle ?

.:.

J'y étais, mon petit,
Car là où règne la pureté, J'y suis pour qu'on M'adore,
Là où triomphe le péché, J'y suis aussi, mais pour le racheter.

Ils ont tué un Nord-Africain

Après deux mille ans de christianisme, des barrières raciales existent encore. Ce devrait être un scandale pour tous les chrétiens. Or certains admettent, voire même défendent ces frontières. Acceptant ces séparations, ils ne sont plus en communion avec leurs frères et sont donc coupés du Christ. Nous-mêmes nous sommes entachés de cette mentalité païenne et participons de plus ou moins loin aux péchés contre la fraternité universelle. Ces péchés vont quelquefois jusqu'au crime; il faudra beaucoup d'amour pour les racheter.

*
* *

Yahvé dit à Caïn : « Où est ton frère Abel ? » Il répondit : « Je ne sais pas. Suis-je le gardien de mon frère ? » Yahvé reprit : « Qu'as-tu fait ! Ecoute le sang de ton frère crier vers moi du sol ! Maintenant, sois maudit et chassé du sol fertile qui a ouvert la bouche pour recevoir de ta main le sang de ton frère... » (Genèse, 4, 9-11).

Il n'y a ni Juif ni Grec, il n'y a ni esclave ni homme libre, il n'y a ni homme ni femme : car tous vous ne faites qu'un dans le Christ Jésus (Galates, 3, 28).

*
* *

Ils ont attaqué, ils ont frappé.
Les matraques battaient la mesure de la charge, tandis que les grenades lacrymogènes fumaient comme des invités à une fête.
Pendant que fuyaient les derniers manifestants on emportait les blessés.
Les portières des voitures cellulaires claquaient sur les arrêtés, étonnés, apeurés ou révoltés.
Les fenêtres, une à une, se refermaient.
Les visages aussi se fermaient, douloureux,
Et la foule par petits groupes se dispersait, tandis que la nouvelle se répandait rapide : ils ont tué un Nord-Africain.

Seigneur, il me regarde encore,
Regard fixe et froid, immobilisé pour toujours dans l'angoisse
de sa dernière question :
« Pourquoi frappez-vous ? »
Il est étendu à terre, les vêtements déchirés, mais la tête ornée
de l'auréole de sang que la mort a peinte sur le trottoir.
Les yeux de son corps me regardent,
Tandis que son âme envolée Te contemple, étonnée du voyage
imprévu.

Seigneur, c'est dégoûtant.
On leur a dit : vous êtes de la famille,
On les a laissés venir vers nous comme vers des sauveurs,
On les a utilisés là où personne n'aurait voulu servir,
Et là, prisonniers de leurs erreurs,
Logés comme des bêtes,
Exploités,
Méprisés,
Humiliés,
Au moment où ils veulent manifester leur mécontentement et
leur révolte,
Au coin de la rue on les attend, bâton en main, comme les
braves gens se rassemblent pour abattre un chien méchant.

Seigneur, ils n'ont pas la même peau que nous,
Ils n'ont pas les mêmes habitudes, les mêmes mœurs,
Seigneur, ils viennent de loin...
Ta Rédemption ne les aurait-elle pas atteints ?
Ou bien Tes fils n'auraient-ils pas encore reconnu qu'ils sont
tous frères ?
Qu'ils ont tous été baptisés, baignés dans un même sang,
Ton sang, le sang d'un DIEU ?

Seigneur, il y a encore, partout dressées, des frontières, des
barrières;
Il y a encore des noirs et des blancs,
Des prolétaires et des bourgeois,
Des exploités et des exploitants,
Des Russes, des Américains et des Français.
Et certains de Tes fils acceptent ces barrières

Comme s'il était normal que dans une même famille certains
    gosses mangent les restes à la cuisine, pendant que les
    autres se gavent dans la salle,
Comme s'il était normal que quelques-uns soient servis par
    les autres, serviteurs,
Comme s'il était normal que certains soient punis plus sévè-
    rement que les autres,
Comme s'il était normal que certains s'acharnent sur d'autres,
    les abaissent, les condamnent, les tuent.

Seigneur, Ton sang nous réunira-t-il bientôt dans un même
    amour,
L'Amour de notre unique Père ?
Saurons-nous faire tomber tous les obstacles qui nous divi-
    sent ?
Accepterons-nous comme unique différence les dons que Tu
    nous as donnés et non l' « avoir » que nous avons
    acquis ?

*
* *

Mon petit, le sang de ton frère crie vers Moi.
Il faudra un chant d'amour bien puissant pour couvrir la voix
    d'un mort tué par ses frères.

Le travail n'est pas une punition, c'est un honneur fait aux hommes par Dieu. Le Père n'a pas voulu achever seul Sa Création. Il invite Sa créature à collaborer avec Lui.

Le travail est aussi un service que les hommes se rendent entre eux. S'il est devenu difficile à cause du péché, il n'a rien perdu de sa grandeur. Par le travail la terre fructifie, elle produit, mais les hommes rapaces luttent et se battent pour s'attribuer les biens nouveaux. Le chantier terrestre est trop souvent devenu un triste camp de prisonniers où quelques-uns utilisent à leur profit le travail forcé de beaucoup d'autres. Il faudrait aimer assez pour vouloir secouer cet esclavage, non par haine, mais par amour !

**

« *Eh bien, maintenant, les riches ! Pleurez, hurlez sur les malheurs qui vont vous arriver. Voyez : le salaire dont vous avez frustré les ouvriers qui ont fauché vos champs crie, et les clameurs des moissonneurs sont parvenues aux oreilles du Seigneur... Vous avez condamné, vous avez tué le juste* » (Jacques, 5, 1-6).

« *La Création, en attente, aspire à la révélation des fils de Dieu. Elle a l'espérance d'être, elle aussi, libérée de la servitude de la corruption pour entrer dans la liberté de la gloire des enfants de Dieu. Nous le savons, en effet, toute la Création, jusqu'à ce jour, gémit en travail d'enfantement* » (Rom., 8, 19-22).

**

Je connais des esclaves, Seigneur, et c'est pour eux, ce soir, que je veux Te prier.

Il allait être embauché comme ouvrier spécialisé,
Mais une voix au téléphone a prévenu qu'il était Délégué dans son ancienne usine,
Et l'esclave s'en est allé à la soupe populaire.
Aie pitié de lui, Seigneur.

102

On a dit : à partir de lundi le travail commencera à six heures
trente.
Et l'esclave a levé les gosses à six heures avant de partir au
boulot.
Aie pitié d'elle, Seigneur.

Si vous parlez encore une fois à l'atelier, je vous f... dehors,
a hurlé le patron,
Et l'esclave s'est tue en se mordant les lèvres.
Aie pitié d'elle, Seigneur.

Elle n'a pas voulu rentrer le soir à la maison, la patronne
l'aurait fait travailler,
Mais elle n'a pas d'argent, et l'esclave ce soir n'a pas mangé.
Aie pitié d'elle, Seigneur.

Le contremaître a dit : « Vous aurez trois heures en bas,
souvenez-vous du débrayage d'avant-hier »,
Et l'esclave, rouge de honte et de colère, a baissé la tête à
cause de ses gosses à la maison.
Aie pitié de lui, Seigneur.

Vous surveillerez quatre métiers au lieu de trois, a dit le
chef d'atelier,
Et l'esclave a travaillé plus vite pour obéir à la machine.
Aie pitié d'elle, Seigneur.

Comme toutes les semaines, ses patrons recevaient.
Parce qu'elle couche dans le salon, elle dut attendre trois
heures du matin, le départ des invités,
Et l'esclave se releva quatre heures plus tard pour reprendre
son travail.
Aie pitié d'elle, Seigneur.

Ainsi les hommes égoïstes ont réduit leurs frères en esclavage.

Tu n'as pas voulu cela, Seigneur, quand Tu nous invitais à
travailler les uns pour les autres en achevant Ta Création.

Tu voulais que la Terre soit un immense chantier où le moindre geste de l'homme serve à l'œuvre commune.

Tu voulais liés entre eux, comme les cellules d'un même corps, les champs ensemencés et les usines fumantes, les bureaux et les chantiers,

L'intérieur des foyers où travaillent les mamans et les entrailles de la terre où fouillent les mineurs.

Le laboratoire des savants et l'atelier des artistes.

Tu voulais les hommes grandis, épanouis par le travail,

Et tous réunis, à la fin des temps, fiers de cette terre qu'ils auraient transformée, aménagée, achevée, offrant au Père avec Toi et en Toi le bel objet de leur labeur.

. . . .

Mais nous avons gâché, Seigneur, le travail humain,
Nous avons galvaudé le mystère de la Création.

*
* *

Ce soir, Seigneur, je t'offre le long cri de révolte des hommes, esclaves du travail,

Je t'offre l'humiliation et la peine de chacun,

Je t'offre la lutte de tous,

Je t'offre les matraqués,
                les emprisonnés,
                les mitraillés,
                les tués,

Cette armée de travailleurs qui se battent à coups de souffrance pour que soient libérés leurs frères.

Seigneur, éclaire-les de Ta Lumière.

Qu'ils soient lucides dans leur conflit,

Qu'ils soient justes dans leur combat,

Qu'ils soient généreux dans leur don,

Qu'ils sachent surtout que ce Monde meilleur à construire intéresse Ton Père.

Purifie leur cœur, Seigneur, afin qu'ils se battent par amour et que tous, libres et fiers, puissent offrir au Père, à la fin des temps, le paradis qu'avec Toi ils auront bâti de leurs mains.

Les hommes ont dressé des prisons pour les hommes, non seulement des prisons de pierre, mais aussi des prisons invisibles, plus contraignantes que les premières. En effet, autour de nous, les hommes sont enfermés dans des structures sociales, économiques et politiques qui les réduisent à l'esclavage. Le poids sur eux de ces structures inhumaines atteint non seulement leur liberté extérieure, mais également leur liberté intérieure. Pour pouvoir manger, pour pouvoir vivre, ils sont obligés, bien souvent, de laisser enchaîner leur « personne ». Or, toute atteinte à la liberté de l'homme est une insulte à Dieu. Le chrétien doit se battre pour libérer l'homme; c'est une démarche essentielle à son christianisme, nous l'avons déjà signalé.

*
* *

Alors la cohorte, le tribun et les gardes des Juifs se saisirent de Jésus et le ligotèrent (Jean, 18, 12).

« Vous avez été appelés à la liberté; seulement, que cette liberté ne se tourne pas en prétexte pour la chair; mais par la charité mettez-vous au service les uns des autres. Car un seul précepte contient toute la loi en sa plénitude : Tu aimeras ton prochain comme toi-même » (Gal., 5, 13-14).

*
* *

Sur les murs de la ville,
Sur les affiches,
Sur les journaux,
Sur les tracts,
Partout j'ai lu : « Libérez Untel ! »
C'est qu'il y a des prisons partout, Seigneur, et je sais que tu
n'aimes pas cela.
Il y a les prisons qui ne se cachent pas,
Et il y a les prisons déguisées, les prisons de remplacement,
les prisons d'urgence, parce qu'il n'y a pas assez de place
dans les vraies pour enfermer tout le monde.
Il y a les prisons qui ont des barreaux, de solides barreaux,
qu'on voit et qu'on peut scier,

Et celles qui en ont d'invisibles qu'on ne peut saisir et secouer
de rage tandis que souriant on vous dit : mais vous êtes
libre, la porte est ouverte, vous pouvez sortir, alors qu'on
sait bien qu'on ne peut pas partir.

Il y a les prisons où sévissent les bourreaux, de vraies brutes
qu'on touche et qui vous touchent et vous font mal.

Et celles où les bourreaux sont maquillés en personnes bien,
vous blessant profondément sans que jamais vous puissiez apercevoir leurs mille mains.

Il y a les prisons qu'on appelle prison, tout simplement, fran-
chement, sans histoire.

Et les prisons qu'on appelle de tout un tas de noms d'emprunt,
pour faire mieux, pour donner l'illusion.

Des prisons qu'on appelle taudis, cité, usine, bal, maison de
passe,

Des prisons qu'on appelle régime politique, système écono-
mique, société anonyme, contrat, loi, règlement,

Des prisons qu'on appelle de beaucoup d'autres noms dans
tous les pays et dans tous les temps.

Mais, Seigneur,
Ce n'est pas Toi qui les a inventées.
Tu nous as faits libres, libres de T'aimer ou de Te rejeter.
Car où serait l'amour si nous étions forcés d'aimer ?
C'est l'homme qui a construit des prisons pour les autres
hommes ;
Les prisons de pierre où il enferme trop souvent les autres,
parce qu'ils ne pensent pas comme lui,
parce qu'ils ne s'expriment pas comme lui,
parce qu'ils n'agissent pas comme lui,
Les prisons invisibles qu'il a dressées peu à peu à force
d'égoïsme, d'orgueil ou d'avarice.

Une partie de l'humanité, Seigneur, a mis l'autre partie en
prison.

*
* *

Mon petit, ce qui M'inquiète, ce ne sont pas tellement les
prisons de pierre,

106

Il faut qu'il y en ait maintenant que vous avez installé le
    désordre dans le Monde.
Quand les hommes s'en servent pour enfermer ceux qui ne
    pensent pas comme eux, Je souffre, car ils insultent Ma
    propre Pensée, mais Je sais que l'âme reste libre et qu'ils
    ne peuvent l'empêcher de penser comme elle veut.
Mais vois-tu, les prisons invisibles ce sont elles qui Me bles-
    sent;
Elles sont innombrables dans le Monde et beaucoup de Mes
    fils y naissent, y grandissent et y meurent;
Et surtout, elles sont tellement étroites, tellement hautes, telle-
    ment lourdes, tellement pénibles,
Qu'elles écrasent les corps et atteignent les âmes.
C'est grave, mon petit, car elles atteignent la liberté, la vraie.
Elles la paralysent,
Elles l'enchaînent,
Elles la détruisent,
Elles détruisent l'homme.

Allons, petit,
    signe,
    défile,
    manifeste,
    bats-toi,
Pour que soit libéré Untel,
Mais surtout pour que soient libérés tous les prisonniers de
    toutes les prisons invisibles.
Car Moi, votre Dieu, Je vous ai faits libres et je vous laisse
    libres.

Le crâne chauve

Dieu nous a pensés de toute éternité et dans Son amour créateur, pas un instant Il ne relâche son attention sur nous. Nous devons, en la personne de nos frères, retrouver l'Idée de Dieu et la respecter. Nous devons leur être attentifs à l'image du Grand Attentif.

.

« *Car c'est en Lui (le Christ) qu'ont été créés tous les êtres, dans les cieux et sur la terre, les visibles et les invisibles... tout a été créé par Lui et pour Lui. Il est avant toutes choses et tout subsiste en Lui* » (Coloss., 1, 16-17).

« *Pas un cheveu de votre tête ne périra* » (Luc, 21, 18).

« *N'achète-t-on pas cinq passereaux pour deux as ? Et pas un d'entre eux n'est en oubli devant Dieu ! Bien plus, vos cheveux même sont tous comptés. Soyez sans crainte; vous valez mieux que beaucoup de passereaux* » (Luc, 12, 6-7).

.

Une heure durant je l'ai eu sous les yeux,
Tout le temps de la conférence.
Il était beau ce crâne, Seigneur,
Bien poli, bien luisant, ceinturé d'un fer à cheval de cheveux
    proprement rangés et sévèrement maintenus sur le bord
    de la piste.
La conférence m'ennuyait;
J'ai eu le temps de réfléchir,
Et j'ai pensé, Seigneur, que Tu connaissais bien ce crâne,
Tu ne le laisses pas des yeux depuis des années et chaque
    jour Tu dis oui à dame nature quand elle demande la
    permission d'enlever quelques cheveux de plus dans le
    champ qui s'éclaircit.
Tu l'as dit dans Ton Evangile : « Pas un cheveu de vos
    têtes ne tombe sans ma permission. »

108

C'est vrai, Seigneur, que Tu penses sans cesse à nous.
C'est vrai que depuis toujours, avant que nous soyons,
Avant même que le Monde existe,
Tu rêves à moi,
Tu penses à moi,
Tu m'aimes.
Et c'est vrai que Ton Amour m'a fait,
Modèle unique et non objet de série,
Prototype et non produit d'une chaîne,
Le premier et le dernier,
Indispensable à l'Humanité.
C'est vrai, Seigneur, que pour ma vie Tu as pensé une destinée
  originale.
C'est vrai que Tu as un projet éternel pour moi tout seul,
Un plan merveilleux que Tu portes en Ton cœur depuis tou-
  jours, comme un père pense les moindres détails de
  vie du petit dont il rêve.
C'est vrai que sans cesse penché sur Moi Tu me guides pour
  le réaliser, Lumière sur mon chemin et Force pour mon
  âme.
C'est vrai que Tu es triste quand je m'écarte ou m'enfuis du
  chemin, mais que Tu accours pour me relever si je tré-
  buche ou si je tombe.

Seigneur, Toi qui fais les crânes chauves, mais surtout les vies
  belles.
Toi le divin Attentif,
      le divin Patient,
      le divin Présent,
Fais que pas un instant je n'oublie Ta Présence.
Je ne Te demande pas de bénir ce que moi-même j'ai décidé
  de vivre,
Donne-moi la grâce de découvrir et de vivre ce que Tu as
  rêvé pour moi.

Seigneur, fais que, vivant de Ta grâce, j'épouse un peu, dans
  mon attention aux autres, l'Attention que Tu as pour
  nous.
Fais qu'à genoux j'adore en eux le Mystère de Ton amour
  Créateur.

Que je respecte Ton Idée sur eux sans vouloir imposer la
   mienne,
Que je les laisse parcourir le chemin que Tu leur as tracé sans
   chercher à les entraîner sur ma route,
Que je reconnaisse qu'ils sont indispensables au Monde et
   que je ne puis me passer du plus petit d'entre eux.
Que jamais je ne me lasse de les regarder et de m'enrichir
   des trésors que Tu leur as confiés.
Aide-moi à Te louer dans leur cheminement,
   à Te retrouver dans leur existence,
Et que pas un instant de leur vie ne se déroule,
Que pas un cheveu de leur tête ne tombe,
   sans qu'avec Toi je n'y sois attentif.

Souvent les hommes voudraient être ailleurs, dans le temps et l'espace, que là où ils sont, au moment où ils y sont. C'est une dangereuse illusion. La place de chacun dans le Monde est le désir éternel du Père sur lui. Pour réussir sa vie et faire réussir l'humanité il doit être présent le plus parfaitement possible. Sa vie est une œuvre divine.

*
* *

(Le Christ) a donné aux uns d'être apôtres, à d'autres d'être prophètes ou encore évangélistes, ou bien pasteurs et docteurs, organisant ainsi les saints pour l'œuvre du ministère en vue de la Construction du Corps du Christ au terme de laquelle nous devons parvenir, tous ensemble, à ne faire plus qu'un dans la foi... c'est de Lui que tout le Corps reçoit concorde et cohésion... selon le rôle de chaque partie, opérant ainsi sa croissance et se construisant lui-même, dans la charité » (Ephés., 4, 11-16).

*
* *

Ce soir, au stade, la nuit remuait, peuplée de dix mille ombres,
Et quand les projecteurs eurent peint en vert le velours de l'immense pelouse
La nuit entonna un choral, nourri de dix mille voix.
Car le maître de cérémonie avait fait signe de commencer l'office.
L'imposante liturgie se déroulait sans heurt.
Le ballon blanc volait d'officiant en officiant comme si tout minutieusement avait été préparé d'avance.
Il passait de l'un à l'autre, courait à ras de terre ou s'envolait au-dessus des têtes.
Chacun était à sa place, le recevant à son tour, d'un coup de pied mesuré, il le passait à l'autre, et l'autre était là pour l'accueillir et le transmettre.
Et parce que chacun faisait son travail, à l'endroit qu'il fallait,

Parce qu'il fournissait l'effort demandé,
Parce qu'il savait qu'il avait besoin de tous les autres,
Lentement mais sûrement le ballon avançait ;
Et quand il eut recueilli le labeur de chacun,
Quand il eut réuni le cœur des onze joueurs,
L'équipe souffla dessus et marqua le but vainqueur.

*
* *

Lorsque péniblement, à la sortie, coulait l'immense foule, dans les rues trop étroites,
Je pensais, Seigneur, que l'histoire humaine, pour nous une longue partie, était pour Toi cette grande Liturgie,
Prodigieuse cérémonie commencée à l'aurore des temps et qui ne se terminerait que lorsque le dernier officiant aurait accompli son dernier geste.

En ce monde, Seigneur, nous avons chacun notre place ;
Entraîneur prévoyant, depuis toujours Tu nous la destinais.
Tu as besoin de nous ici, nos frères ont besoin de nous et nous avons besoin de tous.

Ce n'est pas le poste que j'occupe Seigneur, qui est important, mais la perfection et l'intensité de ma présence.
Qu'importe que je sois avant ou arrière, si je suis au maximum celui que je dois être.

. . . .

Voici, Seigneur, ma journée devant moi...

Ne me suis-je pas trop réfugié sur la touche, critiquant les efforts des autres, les deux mains dans mes poches ?
Ai-je bien tenu ma place, et quand Tu regardais notre terrain m'y as-Tu rencontré ?
Ai-je bien reçu la « passe » de mon voisin et celle de l'autre tout au bout de la pelouse ?
Ai-je bien « servi » mes équipiers sans jouer trop « personnel » pour me mettre en valeur ?

Ai-je « construit » le jeu pour que la victoire soit obtenue et
que tous y contribuent ?

Ai-je lutté jusqu'au bout malgré les échecs, les coups et les
blessures ?

N'ai-je pas été troublé par les manifestations des équipiers
et des spectateurs, découragé par leur incompréhension et
leurs reproches, enorgueilli par leurs applaudissements ?

Ai-je pensé à prier ma partie, n'oubliant pas qu'aux yeux
de Dieu ce jeu des hommes est le plus religieux des
offices ?

Je rentre maintenant me reposer au vestiaire, Seigneur;

Demain, si Tu donnes le coup d'envoi, je jouerai une nouvelle
mi-temps,

Et ainsi chaque jour...

Fais que cette partie célébrée avec tous mes frères soit l'imposante liturgie que Tu attends de nous,

Afin que Ton dernier coup de sifflet interrompant nos vies,

Nous soyons sélectionnés pour la Coupe du Ciel.

Tous les hommes se plaignent de ne pas avoir assez de temps. C'est qu'ils regardent leur vie avec des yeux trop humains. On a toujours le temps de faire ce que Dieu nous donne à faire. Mais il faut être présent totalement dans tous les instants qu'Il nous offre.

.*.

« Ainsi prenez bien garde à votre conduite; qu'elle soit celle, non d'insensés mais de sages qui tirent bon parti de la période présente... Ne vous montrez donc pas inconsidérés, mais sachez voir quelle est la volonté du Seigneur » (Ephés., 5, 15-17).

.*.

Je suis sorti, Seigneur,
Dehors les hommes sortaient.

Ils allaient,
Ils venaient,
Ils marchaient,
Ils couraient.

Les vélos couraient,
Les voitures couraient,
Les camions couraient,
La rue courait,
La ville courait,
Tout le Monde courait.
Ils couraient pour ne pas perdre de temps.
Ils couraient à la suite du temps,
        pour rattraper le temps,
        pour gagner du temps.

Au revoir, monsieur, excusez-moi, je n'ai pas le temps.
Je repasserai, je ne puis attendre, je n'ai pas le temps.

Je termine cette lettre, car je n'ai pas le temps.
J'aurais aimé vous aider, mais je n'ai pas le temps.
Je ne puis accepter, faute de temps.
Je ne peux réfléchir, lire, je suis débordé, je n'ai pas le temps
J'aimerais prier, mais je n'ai pas le temps.
Tu comprends, Seigneur, ils n'ont pas le temps;
L'enfant, il joue, il n'a pas le temps tout de suite... plus tard...
L'écolier, il a ses devoirs à faire, il n'a pas le temps... plus
    tard...
Le lycéen, il a ses cours et tellement de travail, il n'a pas le
    temps... plus tard...
Le jeune homme, il fait du sport, il n'a pas le temps... plus
    tard...
Le jeune marié, il a sa maison, il doit l'aménager, il n'a pas le
    temps... plus tard...
Le père de famille, il a ses enfants, il n'a pas le temps... plus
    tard...
Les grands-parents, ils ont leurs petits-enfants, ils n'ont pas
    le temps... plus tard...
Ils sont malades ! ils ont leurs soins, ils n'ont pas le temps...
    plus tard...
Ils sont mourants, ils n'ont...
Trop tard !... ils n'ont plus de temps !

Ainsi les hommes courent tous après le temps, Seigneur.
Ils passent sur la terre en courant.
        pressés,
        bousculés,
        surchargés,
        affolés,
        débordés,
Et ils n'y arrivent jamais, il leur manque du temps,
Malgré tous leurs efforts, il leur manque du temps,
Il leur manque même beaucoup de temps.
Seigneur, Tu as dû Te tromper dans tes comptes.
Il y a une erreur générale;
Les heures sont trop courtes,
Les jours sont trop courts,
Les vies sont trop courtes.
Toi qui es hors du temps, Tu souris, Seigneur, de nous voir
    nous battre avec lui,

Et Tu sais ce que Tu fais.
Tu ne Te trompes pas lorsque Tu distribues le temps aux
      hommes,
Tu donnes à chacun le temps de faire ce que Tu veux qu'il
      fasse.
Mais il ne faut pas perdre du temps,
     gaspiller du temps,
     tuer le temps,
Car le temps est un cadeau que Tu nous fais,
Mais un cadeau périssable,
Un cadeau qui ne se conserve pas.

.•.

Seigneur, j'ai le temps,
J'ai tout mon temps à moi,
Tout le temps que Tu me donnes,
Les années de ma vie,
Les journées de ma vie,
Les journées de mes années,
Les heures de mes journées,
Elles sont toutes à moi.
A moi de les remplir, tranquillement, calmement,
Mais de les remplir tout entières, jusqu'au bord,
Pour te les offrir, et que de leur eau fade
     Tu fasses un vin généreux, comme jadis à Cana, Tu fis
     pour les noces humaines.

Je ne Te demande pas ce soir, Seigneur, le temps de faire
     ceci, et puis encore cela,
Je Te demande la grâce de faire consciencieusement,
     dans le temps que Tu me donnes, ce que Tu veux que
     je fasse.

Nous sommes faits par amour et pour l'amour. Sur terre nous apprenons à aimer. A la mort nous passerons notre examen sur l'amour. Si nous nous sommes suffisamment entraînés, nous irons vivre éternellement dans l'Amour. Or ici-bas, à chaque fois que nous nous aimons (égoïsme), nous ratons un peu notre destinée et la destinée du Monde. Il n'y a que deux amours, l'amour de nous-même et l'amour de Dieu et des autres.

Vivre, c'est choisir entre ces deux amours.

*
* *

« Nul ne peut servir deux maîtres : ou il haïra l'un et aimera l'autre, ou il s'attachera à l'un et méprisera l'autre » (Matth., 6, 24).

« Qui aime son frère demeure dans la lumière, et il n'y a en lui aucun sujet de chute. Mais qui hait son frère est dans les ténèbres, il marche dans les ténèbres, il ne sait où il va, parce que les ténèbres ont aveuglé ses yeux » (1 Jean, 2, 10-11).

*
* *

Il n'y a que deux amours, Seigneur,
L'amour de moi, et l'amour de Toi et des autres,
Et chaque fois que je m'aime, c'est un peu d'amour en moins
      pour Toi et pour les autres,
C'est une fuite d'amour,
Une perte d'amour,
Car l'amour est fait pour sortir de moi et voler vers les
      autres.
A chaque fois qu'il revient sur moi, il s'étiole, pourrit et
      meurt.
L'amour de moi, Seigneur, est un poison que j'absorbe cha-
      que jour;
L'amour de moi m'offre une cigarette et n'en donne pas à
      mon voisin;
L'amour de moi choisit la meilleure part et garde la meilleure
      place;

L'amour de moi caresse mes sens et vole leur nourriture sur
la table des autres;

L'amour de moi parle de moi et me rend sourd à la parole
de l'autre;

L'amour de moi choisit et impose le choix à l'ami;

L'amour de moi me déguise et me grime, il veut me faire
briller en effaçant les autres;

L'amour de moi me plaint et néglige la souffrance d'autrui;

L'amour de moi prône mes idées et méprise celles des autres;

L'amour de moi me trouve vertueux, il m'appelle homme de
bien;

L'amour de moi m'invite à gagner de l'argent, à le dépenser
pour mon plaisir, à le thésauriser pour mon avenir;

L'amour de moi me conseille de donner aux pauvres pour
endormir ma conscience et vivre dans la paix;

L'amour de moi me chausse de pantoufles et m'assoit dans un
fauteuil;

L'amour de moi est satisfait de moi, il m'endort doucement.

Ce qui est plus grave, Seigneur, c'est que l'amour de moi est
un amour volé.

Il était destiné aux autres, ils en avaient besoin pour vivre,
pour s'épanouir, et je l'ai détourné.

Ainsi l'amour de moi fait la souffrance humaine,

Ainsi l'amour des hommes pour eux-mêmes fait la misère
humaine,

Toutes les misères humaines,

Toutes les souffrances humaines;

La souffrance du gosse que sa mère a giflé sans raison et celle
de l'homme que le patron réprimande devant les ouvriers,

La souffrance de la fille laide délaissée dans un bal, et celle
de l'épouse que son mari n'embrasse plus,

La souffrance de l'enfant qu'on laisse à la maison parce qu'il
est encombrant et celle du grand-père dont les petits se
moquent parce qu'il est trop vieux,

La souffrance de l'homme anxieux qui n'a pu se confier et
celle de l'adolescent inquiet dont on a ridiculisé le tour-
ment;

La souffrance du désespéré qui se jette au canal et celle du
bandit qu'on va guillotiner.

La souffrance du chômeur qui voudrait travailler et celle du travailleur qui use sa santé pour un salaire dérisoire,

La souffrance du papa qui entasse sa famille dans une seule pièce près d'un pavillon vide et celle de la maman dont les enfants ont faim tandis qu'on jette à la poubelle les restes d'un festin,

La souffrance de celui qui meurt seul, tandis que sa famille, dans la pièce à côté, attend l'issue fatale en prenant le café.

. . . .

Toutes les souffrances,

Toutes les injustices, les amertumes, les humiliations, les chagrins, les haines, les désespoirs,

Toutes les souffrances sont une faim inapaisée,

Une faim d'amour.

Ainsi les hommes ont bâti, lentement, égoïsme par égoïsme, un Monde dénaturé qui écrase les hommes;

Ainsi les hommes sur terre passent leur temps à se goinfrer de leur amour flétri,

Tandis qu'autour d'eux les autres meurent de faim en leur tendant les bras.

Ils ont gâché l'amour,

J'ai gâché Ton Amour, Seigneur.

Ce soir je Te demande de m'aider à aimer.

Donne-moi, Seigneur, de répandre l'amour vrai dans le Monde.

Fais que par moi et par Tes fils il pénètre un peu dans tous les milieux, dans toutes les sociétés, tous les systèmes économiques et politiques, toutes les lois, tous les contrats, tous les règlements;

Fais qu'il pénètre les bureaux, les usines, les quartiers, les immeubles, les cinémas, les bals;

Fais qu'il pénètre le cœur des hommes et que jamais je n'oublie que la lutte pour un Monde meilleur est une lutte d'amour, au service de l'amour.

Aide-moi à aimer, Seigneur,
   à ne pas gaspiller mes puissances d'amour,
   à m'aimer de moins en moins pour aimer les autres de
   plus en plus,
Afin qu'autour de moi, personne ne souffre ou ne meure
   parce que j'aurai volé l'amour qu'il leur fallait pour
   vivre.

*
* *

Mon petit, jamais tu n'arriveras à mettre assez d'amour dans
   le cœur de l'homme et dans le Monde,
Car l'homme et le Monde ont faim d'un amour infini,
Et Dieu seul peut aimer d'un amour sans limite.
Mais si tu veux, petit, Je te donne Ma vie,
Prends-la en toi.
Je te donne Mon cœur, Je le donne à Mes fils.
Aime avec Mon cœur, petit,
Et tous ensemble vous rassasierez le Monde, et vous le sau-
   verez.

L'Evangile annoncé dans toute sa pureté enthousiasme, effraye ou scandalise. Il doit faire réagir avec violence car il est diamétralement opposé à l'homme pécheur et au « Monde ». A chaque fois qu'un homme est atteint par l'Evangile, s'il est loyal, sa vie entière est remise en question, car l'exigence du Christ ne souffre pas de demi-mesure.

*
* *

« *Heureux êtes-vous si l'on vous insulte, si l'on vous persécute, si l'on vous calomnie de toutes manières à cause de moi. Soyez dans la joie et l'allégresse car votre récompense sera grande dans les cieux* » (Matth., 5, 11-12).

« *Ne pensez pas que je sois venu apporter la paix sur la terre; je ne suis pas venu apporter la paix, mais le glaive* » (Matth., 10, 34).

« *Si le monde vous hait, sachez qu'il m'a haï avant vous. Si vous étiez du monde, le monde aimerait son bien; mais parce que vous n'êtes pas du monde, puisque mon choix vous a tirés du monde, le monde vous hait. Rappelez-vous la parole que je vous ai dite : le serviteur n'est pas plus grand que son maître. S'ils m'ont persécuté, ils vous persécuteront aussi* » (Jean, 15, 18-20).

*
* *

J'ai entendu un prêtre qui vivait l'Evangile prêcher l'Evangile.

Les petits, les pauvres, ont été enthousiasmés,

Les grands, les riches, ont été scandalisés.

Et j'ai pensé qu'il ne faudrait pas prêcher longtemps l'Evangile pour que beaucoup de ceux qui fréquentent les églises s'en éloignent et que ceux qui les désertent les emplissent.

J'ai pensé que c'est un mauvais signe pour un chrétien d'être estimé par les « gens bien ».

Il faudrait, je crois, qu'ils nous montrent du doigt, en nous traitant de fou et de révolutionnaire,

Il faudrait, je crois, qu'ils nous cherchent des ennuis, qu'ils
   signent des pétitions contre nous,... qu'ils essayent de nous
   faire périr.

Ce soir, Seigneur, j'ai peur.
J'ai peur, car Ton Evangile est terrible.
Il est facile de l'entendre annoncer,
Il est encore relativement facile de n'en pas être scandalisé,
Mais il est bien difficile de le vivre.

J'ai peur de me tromper, Seigneur.
J'ai peur d'être satisfait de ma petite vie convenable;
J'ai peur de mes bonnes habitudes, je les prends pour des
   vertus;
J'ai peur de mes petits efforts, ils me donnent l'impression
   d'avancer;
J'ai peur de mes activités, elles me font croire que je me donne;
J'ai peur de mes savantes organisations, je les prends pour
   des réussites;
J'ai peur de mon influence, j'imagine qu'elle transforme les
   vies;
J'ai peur de ce que je donne, qui me cache ce que je ne donne
   pas;
J'ai peur, Seigneur, il y a des gens qui sont plus pauvres que
   moi,
Il y en a de moins instruits que moi,
        de moins évolués,
        de moins bien logés,
        de moins bien chauffés,
        de moins bien payés,
        de moins bien nourris,
        de moins bien choyés,
        de moins bien aimés.
J'ai peur, Seigneur, car je ne fais pas assez pour eux,
Je ne fais pas Tout pour eux.

Il faudrait que je donne tout,
Il faudrait que je donne tout jusqu'à ce qu'il n'y ait plus
   une seule souffrance, une seule misère, un seul péché
   dans le Monde.

122

Alors, Seigneur, il faudrait que je donne tout, tout le temps,
Il faudrait que je donne ma vie.

Seigneur, ce n'est pas vrai tout de même,
Ce n'est pas vrai pour tous,
J'exagère, il faut être raisonnable.

*
* *

Mon petit, il n'y a *qu'un* commandement,
Pour *tous :*
« Tu aimeras de TOUT ton cœur,
        de TOUTE ton âme,
        de TOUTES tes forces. »

ÉTAPES SUR LA ROUTE
DU CHRIST
ET DES HOMMES

Il ne faut pas chercher dans ces prières un traité de vie spirituelle du chrétien. Ce ne sont que quelques jalons, quelques étapes qui nous ont spécialement frappé chez beaucoup de chrétiens et nous ont incité à rassembler leurs expressions, leurs mots, pour les éclairer dans leur évolution et les aider à s'adresser à Dieu.

Les premières prières sont faciles à saisir, mais ce n'est pas avec son intelligence que l'on peut comprendre les dernières. C'est avec sa vie. Ceux qui n'ont pas vécu ces étapes souriront de la pauvreté des mots, mais à tous ceux qui les ont franchies — grâce à Dieu — les mots, aussi infirmes soient-ils, murmureront la vie. Ils se retrouveront.

D'autres prières auraient pu suivre encore, elles n'auraient servi qu'à quelques-uns. Qu'il suffise de savoir que lorsqu'un homme a décidé d'accepter Dieu et les autres, le Seigneur n'a jamais fini de l'éduquer pour le faire se dépasser.

Seigneur, délivre-moi de moi !

Il y a des hommes qui sont leur propre victime, malheureux plus qu'on ne peut l'imaginer car ils sont condamnés à n'aimer qu'eux-mêmes. Il faut comprendre leur souffrance pour les en délivrer, car cette souffrance n'est rien moins que l'expérience de l'enfer. Ce peut être aussi le point de départ de leur salut s'ils rencontrent un ami qui leur fait découvrir qu'ils sont leur propre bourreau, s'ils rencontrent surtout un chrétien qui soit pour eux, de l'extérieur, la Lumière et la Joie qui attirent hors de chez soi.

Peut-être, alors, prieront-ils — sous une forme ou sous une autre — cette prière. S'ils demandent enfin loyalement à Dieu de les délivrer d'eux-mêmes, ils sont sauvés. C'est la première étape.

Nous pouvons nous aussi faire cette prière les soirs où nous sommes rentrés chez nous pour échapper aux autres et à Dieu.

*
* *

Jésus se mettait en route quand un homme accourut et, fléchissant devant lui le genou, lui demanda : « Bon Maître, que dois-je faire pour obtenir la vie éternelle ? »

... Alors Jésus fixa sur lui son regard et l'aima. Et il lui dit : « Une seule chose te manque : va, vends tout ce que tu as et donne-le aux pauvres, et tu auras un trésor dans le ciel; puis, viens, suis-moi. » Mais lui, à ces mots, s'assombrit et s'en alla tout triste, car il avait de grands biens (Marc, 10, 17-22).

*
* *

Seigneur, m'entends-Tu ?

Je souffre atrocement,
Verrouillé en moi-même,
Prisonnier de moi-même,
Je n'entends rien que ma voix,
Je ne vois rien que moi-même,
Et derrière moi il n'y a que souffrance.

Seigneur, m'entends-Tu ?

127

Délivre-moi de mon corps, il n'est que faim et tout ce qu'il
touche de ses grands yeux innombrables, de ses mille
mains tendues, n'est que pour s'en saisir et tenter d'apai-
ser son insatiable appétit.

Seigneur, m'entends-Tu ?

Délivre-moi de mon cœur, il est tout gonflé d'amour, mais
alors que je crois follement aimer, j'entrevois, rageur, que
c'est encore moi que j'aime à travers l'autre.

Seigneur, m'entends-Tu ?

Délivre-moi de mon esprit, il est plein de lui-même, de ses
idées, de ses jugements; il ne sait dialoguer, car ne
l'atteint nulle autre parole que la sienne.

Seul, je m'ennuie,
        je me lasse,
        je me déteste,
        je me dégoûte,
Depuis le temps que je me retourne dans ma sale peau
comme dans un lit brûlant de malade qu'on voudrait
fuir.

Tout me semble vilain, laid, sans lumière,
... c'est que je ne peux rien voir qu'à travers moi.
Je me sens prêt à haïr les hommes et le monde entier,
... c'est par dépit parce que je ne peux les aimer.
Je voudrais sortir,
Je voudrais marcher, courir vers un autre pays.
Je sais que la JOIE existe, je l'ai vue chanter sur des visages.
Je sais que la LUMIERE brille, je l'ai vue illuminer des
regards.
Mais Seigneur, je ne puis sortir, j'aime ma prison en même
temps que je la hais,
Car ma prison, c'est moi,
Et moi je m'aime,
Je m'aime, Seigneur, et je me dégoûte.

Seigneur, je ne trouve même plus la porte de chez moi.
Je me traîne à tâtons, aveuglé,
Je me heurte à mes propres parois, à mes propres limites,
Je me blesse,
J'ai mal,
J'ai trop mal, et personne ne le sait car personne n'est rentré
 chez moi.
Je suis seul, seul.

Seigneur, Seigneur, m'entends-Tu ?
Seigneur, montre-moi ma porte,
 prends ma main,
Ouvre,
Montre-moi la Route,
Le chemin de la JOIE, de la LUMIERE.

... Mais...
Mais Seigneur, m'entends-Tu ?

∴

Petit, Je t'ai entendu.
Tu Me fais pitié.
Depuis le temps que Je guette tes persiennes closes, ouvre-
 les, Ma lumière t'éclairera.
Depuis le temps que Je suis devant ta porte cadenassée,
 ouvre-la, tu Me trouveras sur le seuil.

Je t'attends, les autres t'attendent,
Mais il faut ouvrir,
Mais il faut sortir de chez toi.

Pourquoi demeurer ton prisonnier ?
Tu es libre.
Ce n'est pas Moi qui ai fermé ta porte,
Ce n'est pas Moi qui peux la rouvrir,
... Car c'est toi qui de l'intérieur la tiens solidement ver-
 rouillée.

Celui qui a commencé à se donner aux autres est sauvé. En accueillant son prochain il accueillera Dieu et se délivrera de lui-même. Or nous sommes notre plus mortel ennemi. Humainement, nous nous faisons souffrir et surnaturellement nous barrons la route à Dieu.

Il y a des hommes qui s'acharnent à se polir eux-mêmes. Ils s'examinent, passent leur temps à lutter contre leurs défauts et n'arrivent jamais à bout d'eux-mêmes, si ce n'est quelquefois à cultiver en serre chaude de petites vertus à leur maigre mesure. Ils s'égarent. Certains éducateurs les encouragent dans cette voie ne s'apercevant pas qu'à force de leur montrer tel défaut à combattre, telle qualité à acquérir, ils les centrent sur eux-mêmes et les condamnent à la stagnation.

Au contraire, il faut se pencher sur eux, pour connaître d'abord, non pas ce qu'ils ont de mauvais, mais ce qu'ils ont de bon, c'est-à-dire découvrir leurs richesses. Connaître ensuite dans le détail les milieux de vie où ils évoluent et les aider concrètement à y être présents en se donnant aux autres.

Tous peuvent et doivent donner. S'ils ont un talent, qu'ils le donnent; s'ils en ont dix qu'ils donnent les dix. Ce n'est qu'en donnant que l'on peut recevoir.

Mais celui qui a commencé ce don, très vite s'aperçoit, s'il est loyal, qu'il ne peut plus reculer. Il a peur : il faut alors l'encourager, lui montrer que ce n'est qu'à la condition de se donner aux autres qu'il réussira sa vie et connaîtra la JOIE de Dieu.

*
**

« Après un long délai, le maître de ces serviteurs arrive et il règle ses comptes avec eux. Celui qui avait reçu les cinq talents s'avança et lui présenta cinq autres talents : « Seigneur, dit-il, tu m'as confié cinq talents : en voici cinq autres que j'ai gagnés. » — « C'est bien ! serviteur bon et fidèle, lui dit son maître, en de modiques affaires tu t'es montré fidèle, sur de considérables, je t'établirai; viens partager la joie de ton Seigneur » (Matth., 25, 19-21).

Voici à quoi nous avons connu l'Amour : celui-là a offert sa vie pour nous. Et nous devons, nous aussi, offrir notre vie pour nos frères. Si quelqu'un, jouissant des richesses du monde, voit son frère dans la nécessité et lui ferme ses entrailles, comment l'amour de Dieu demeurerait-il en lui ? Petits enfants, n'aimons ni de mots ni de langue, mais en actes, véritablement. Par là, nous saurons que nous sommes de la vérité (1 Jean, 3, 16-19).

*
**

Seigneur, pourquoi m'avez-Vous dit d'aimer tous mes frères,
les hommes ?
J'ai essayé, mais vers Vous je reviens effrayé...

Seigneur, j'étais si tranquille chez moi, je m'étais organisé,
je m'étais installé.
Mon intérieur était meublé et je m'y trouvais bien.
Seul, j'étais d'accord avec moi-même.
A l'abri du vent, de la pluie, de la boue.
Pur je serais resté, dans ma tour enfermé.
Mais à ma forteresse, Seigneur, vous avez découvert une faille,
Vous m'avez forcé à entrouvrir ma porte,
Comme une rafale de pluie en pleine face, le cri des hommes
m'a réveillé;
Comme un vent de bourrasque, une amitié m'a ébranlé;
Comme s'insinue un rayon de soleil, Votre grâce m'a inquiété

... et j'ai laissé ma porte entrouverte, imprudent que j'étais.
Seigneur, maintenant je suis perdu !
Dehors, les hommes me guettaient.
Je ne savais pas qu'ils étaient si proches; dans cette maison,
dans cette rue, dans ce bureau; mon voisin, mon collègue,
mon ami.
Dès que j'eus entrouvert, je les ai vus, la main tendue, le
regard tendu, l'âme tendue, quêtant comme des mendiants
aux portes des églises.

Les premiers sont rentrés chez moi, Seigneur. Il y avait tout
de même un peu de place en mon cœur.
Je les ai accueillis, je les aurais soignés, je les aurais cajolés,
frisés, mes petites brebis à moi, mon petit troupeau.
Vous auriez été content, Seigneur, bien servi, bien honoré,
proprement, poliment.
Jusque-là, c'était raisonnable...
Mais les suivants, Seigneur, les autres hommes, je ne les avais
pas vus; les premiers les cachaient.
Ils étaient plus nombreux, ils étaient plus miséreux, ils m'ont
envahi sans crier gare.
Il a fallu se resserrer, il a fallu faire de la place chez moi.

Maintenant, ils sont venus de partout, par vagues successives,
l'une poussant l'autre, bousculant l'autre.
Ils sont venus de partout, de la ville entière, de la nation, du
monde; innombrables, inépuisables.
Ils ne sont plus isolés, mais en groupes, en chaîne, liés les
uns aux autres, mêlés, soudés, comme des morceaux
d'humanité.
Ils ne sont plus seuls, mais chargés de pesants bagages;
bagages d'injustice, bagages de rancœur et de haine,
bagages de souffrance et de péché...
Ils traînent le Monde derrière eux, avec tout son matériel
rouillé et tordu, ou trop neuf et mal adapté, mal employé.

Seigneur, ils me font mal ! Ils sont encombrants, ils sont
envahissants.
Ils ont trop faim, ils me dévorent !
Je ne peux plus rien faire; plus ils rentrent, plus ils poussent
la porte et plus la porte s'ouvre...
Ah ! Seigneur ! ma porte est toute grande ouverte !
Je n'en puis plus ! C'est trop pour moi ! Ce n'est plus une
vie !
Et ma situation ?
Et ma famille ?
Et ma tranquillité ?
Et ma liberté ?
Et moi ?
Ah ! Seigneur, j'ai tout perdu, je ne suis plus à moi :
Il n'y a plus de place pour moi chez moi.

.•.

Ne crains rien, dit Dieu, tu as TOUT gagné,
Car tandis que les hommes entraient chez toi,
Moi, ton Père,
Moi, ton Dieu,
Je Me suis glissé parmi eux.

Aide-moi à dire « oui »

Marqué par la joie du premier don, le chrétien ne peut plus reculer. Sa sensibilité, tout entière enflammée, l'a aidé à surmonter les obstacles. Il avance, entraîné, poussé par « les autres » dont l'exigence se fait de plus en plus envahissante. Et voici que Dieu apparaît. Non plus caché derrière les autres mais en pleine Lumière. Il demande à être reçu, et non pas dans un coin. Il veut toute la place en l'homme et en son action. Le chrétien qui L'a reconnu souvent s'enfuit, car il sait que s'il est rejoint, c'est l'offrande totale, sans condition, que Dieu lui demandera. Sans relâche le Seigneur le poursuit pour obtenir de lui le « oui » qui divinisera sa vie.

Ne comprendra vraiment cette prière que celui qui a vécu cette « lutte » avec Dieu.

Douloureuse étape; l'éducateur, l'ami, doit la comprendre. Discret — pour ne pas gêner Dieu — car *Il vient de prendre Lui-même en main la formation de son fils,* mais présent pour éclairer dans la foi. Aidant à identifier le Seigneur, traduisant les questions d'amour qu'il pose perpétuellement dans et par la vie, décelant Ses rendez-vous, Ses démarches, Ses poursuites, il doit encourager le chrétien et l'inviter à dire oui. S'il a mal, c'est lui qui se fait mal en résistant, il faut le lui faire découvrir. Car on perd toujours quand on se bat avec Dieu. Il est le plus fort. Son AMOUR est plus fort.

.•.

L'Ange Gabriel entra chez Marie et lui dit : « Salut, pleine de grâce, le Seigneur est avec toi. » A ces mots, elle fut bouleversée et elle se demandait ce que signifiait cette salutation. Mais l'Ange lui dit : « Rassure-toi, Marie, car tu as trouvé grâce auprès de Dieu. Voici que tu concevras et enfanteras un fils, et tu lui donneras le nom de Jésus... Il sera grand, et on l'appellera le Fils du Très-Haut... Rien n'est impossible à Dieu ! » Marie dit alors : « Je suis la servante du Seigneur; qu'il m'advienne selon ta parole ! » (Luc, 1, 26-38).

.•.

J'ai peur de dire oui, Seigneur.
Où m'emmèneras-Tu ?
J'ai peur de tirer la paille la plus longue,
J'ai peur de signer au bas de la feuille blanche,
J'ai peur du oui qui réclame d'autres oui.

Et pourtant je ne suis pas en paix.
Tu me poursuis, Seigneur. Tu me cernes de partout.
Je cherche le bruit car je crains de T'entendre,
    mais Tu Te glisses dans un silence.
Je m'enfuis de la route car je T'ai aperçu,
    mais au bout du sentier Tu m'attends quand j'arrive.
Où me cacherais-je ? Partout je Te rencontre :
Il n'est donc pas possible de T'échapper !

... Mais j'ai peur de dire oui, Seigneur.
J'ai peur de Te donner la main, Tu la gardes en la Tienne.
J'ai peur de rencontrer Ton regard, Tu es un séducteur.
J'ai peur de Ton exigence, Tu es un Dieu jaloux.
Je suis traqué, mais je me cache.
Je suis captif, mais je me débats, et je combats en me sachant
    vaincu.
Car Tu es le plus fort, Seigneur, Tu possèdes le Monde et Tu
    me le dérobes.

Quand je tends la main pour saisir personnes et choses, elles
    s'évanouissent à mes yeux.
Ce n'est pas gai, Seigneur, je ne puis rien prendre pour moi.
La fleur que je cueille elle se fane en mes doigts.
Le rire que je lance sur mes lèvres il se fige,
La valse que je danse me laisse pantelant et inquiet.
Tout me semble vide,
Tout me semble creux,
Tu as fait le désert autour de moi.
Et j'ai faim,
Et j'ai soif.
Le Monde entier ne pourrait me nourrir.

Pourtant je T'aimais, Seigneur; que T'ai-je donc fait ?
Pour Toi je travaillais, pour Toi je me donnais.
O grand Dieu terrible, que veux-Tu donc encore ?

.*.

Mon petit, Je veux plus pour toi et pour le Monde.
Auparavant, c'est ton action que tu menais,
    mais Je n'en ai que faire.

Tu M'invitais à l'approuver, tu M'invitais à la soutenir,
  tu voulais M'intéresser à ton travail.
Mais vois-tu, petit, tu renversais les rôles.
Je t'ai suivi des yeux, J'ai vu ta bonne volonté,
Je veux plus que toi, maintenant.
Ce n'est plus ton action que tu feras, mais la volonté de ton
  père du Ciel.

Dis oui, mon petit.
J'ai besoin de ton oui comme J'ai eu besoin du oui de Marie
  pour venir sur terre,
Car c'est Moi qui dois être à ton travail,
C'est Moi qui dois être dans ta famille,
C'est Moi qui dois être dans ton quartier,
  et non pas toi.
Car c'est Mon regard qui pénètre et non le tien,
C'est Ma Parole qui porte et non la tienne.
C'est Ma vie qui transforme et non la tienne.
Donne-moi TOUT, abandonne-moi TOUT.
J'ai besoin de ton oui pour t'épouser et descendre sur terre.
J'ai besoin de ton oui pour continuer de sauver le Monde !

⁎

O Seigneur, j'ai peur de Ton exigence, mais qui peut Te
  résister ?
Pour que Ton règne arrive et non le mien.
Pour que Ta volonté soit faite et non la mienne.
Aide-moi à dire OUI.

L'homme ne se connaît pas. Il a beau examiner sérieusement sa conscience, elle ne lui révèle pas de bien grosses misères. L'homme n'est pas humble. Il a beau essayer de penser mal de lui, il n'arrive pas à détruire la bonne opinion que malgré tout il conserve. Au début, le chrétien sorti de lui-même et se donnant aux autres réussit dans son action; il ne peut pas s'empêcher de penser qu'il y est pour quelque chose. Ainsi il gêne Dieu. Ce n'est que lorsqu'on a compris, par l'intérieur, qu'on ne peut Rien, que Dieu peut commencer à faire Tout.

Heureusement, quand l'homme s'efface devant ses frères pour les accueillir, il reçoit Dieu, et recevant Dieu il reçoit la Lumière. Lentement ou brusquement elle pénètre tout, la personne elle-même et la trame la plus fine de son action. C'est une pénible révélation. Désormais, il est inutile de se répéter que l'on n'est rien, que c'est Dieu qui mène l'action et lui donne son efficacité, éclairé surnaturellement, *on le voit.* Il faut engager le chrétien à ne pas fermer les yeux, à ne pas se décourager, c'est une grâce que le Seigneur lui fait, sans elle il n'aurait jamais su la grandeur de Dieu et la petitesse de l'homme. Puisse-t-il alors ne pas l'oublier.

.·.

« *C'est moi le cep; vous êtes les sarments. Qui demeure en moi, comme moi en lui, porte beaucoup de fruit; car hors de moi* vous ne pouvez rien faire » (Jean, 15, 5).

« *En vérité, en vérité, je vous le dis, celui qui croit en moi fera, lui aussi, les œuvres que je fais... Tout ce que vous demanderez en mon nom, je le ferai, pour que le Père soit glorifié dans le Fils* » (Jean, 14, 12-13).

.·.

Seigneur, Tu l'as voulu, me voilà par terre.
Je n'ose même plus me relever, je n'ose même plus Te
    regarder.
Rien, Rien, je ne suis Rien, je le sais maintenant.

Ta lumière est terrible, Seigneur, et je voudrais y échapper.
Depuis que je T'ai accueilli, Tu as illuminé mon domaine.

Chaque jour, impitoyable, Ta clarté le découvre,
Et je vois ce que je n'avais jamais vu.

Je vois la forêt de mes péchés derrière l'arbre qui les cachait.
Je vois les racines innombrables, impossibles à saisir,
Je vois que tout en moi Te fait obstacle, comme la moindre
    parcelle de matière arrête le soleil et fait naître la nuit.
Je vois le mal attaquer les points de ma forteresse que je
    croyais inattaquable,
Et je me vois chancelant et tout près de tomber.
Je vois mon impuissance, moi qui me croyais capable de me
    faire beau pour Toi.
Je vois que tout en moi est mêlé, et que pas un de mes gestes
    n'est pur.
Je vois la profondeur infinie de chaque faute face à l'infini de
    Ton Amour.
Je me vois incapable d'atteindre une seule âme, du bruit de
    mes paroles et du vent de mes gestes.
Je vois l'Esprit souffler où je n'ai pas œuvré, et la graine
    germer où je n'ai point semé.

Rien, Rien, je ne suis Rien, je ne fais Rien, je le sais main-
    tenant.
Mais Tu éclaires toujours, Seigneur, Tu illumines.
Pas un coin ne reste dans l'ombre en mon âme et ma vie.
Comme Tu es dur et implacable !
J'ai beau me retourner, Ta lumière est partout
Et je suis nu, Seigneur, devant moi, effrayé.

Avant, je proclamais que j'étais pécheur, que j'étais indigne,
Je le croyais, Seigneur, mais je ne le savais pas.
Devant Toi je cherchais quelques fautes
Mais ne réussissais péniblement que de maigres confessions.
Seigneur, c'est tout mon être maintenant qui s'agenouille,
C'est le péché que je suis qui demande pardon.

Seigneur, merci de Ta Lumière, je n'aurais jamais su.
Mais Seigneur, assez, je T'assure, j'ai compris :
Je ne suis RIEN.
Et Tu es TOUT.

Agonie : Seigneur, je suis écrasé

Un jour viendra où le chrétien heurtera plus violemment contre le mal dans le Monde. En quelques heures, il aura peut-être la révélation de son étendue et de sa profondeur. Ne pouvant pas communiquer à d'autres son secret il le portera seul, écrasé, dans le dégoût et la nuit, le mal qu'il croyait connaître mais dont il n'avait aperçu que la frange. Ce contact profond avec le péché dans le Monde est la première étape d'une nuit indispensable à la purification du chrétien et à l'approfondissement de sa mission de rédempteur. Plus tard la nuit s'installera à l'intérieur de lui-même, mais cette nuit sera l'aube de la résurrection.

**

« Celui qui n'avait pas connu le péché, il l'a fait péché pour nous, afin qu'en lui nous devenions justice de Dieu. » (2 Cor., 5, 21).

Il commença à ressentir effroi et abattement. Et il dit (à ses apôtres) : « Mon âme est triste à en mourir; restez ici et veillez. » S'étant avancé un peu, il se prosterna contre terre et il priait pour que, s'il était possible, cette heure passât loin de lui. Et il disait : « Père ! tout t'est possible : éloigne de moi cette coupe; cependant, pas ce que je veux, mais ce que Tu veux » (Marc, 14, 33-36).

« Maintenant mon âme est troublée. Et que dire ? Père, sauve-moi de cette heure ? Mais c'est pour cela que je suis arrivé à cette heure. Père, glorifie ton nom ! » (Jean, 12, 27).

**

Seigneur, je suis écœuré,
    je suis écrasé ce soir.
C'est horrible le mal, Seigneur.
    c'est laid,
    c'est sale.
J'ai marché dans la boue,
    voyagé dans la boue,
    nagé dans la boue,
Le monde est boue.

Il me semble que j'ai besoin de me laver,
>   les mains,
>   les yeux,
>   le corps,
>   le cœur,
>   l'âme,
>   tout, Seigneur,
Je n'ose plus avancer,
Je n'ose plus me regarder.
Pourquoi m'avoir montré cela, pourquoi me l'avoir fait com-
>   prendre ? Je ne pourrai plus oublier.
Comme je me sens vieux, ce soir, plus vieux que mon visage
>   qui ment,
En quelques heures j'ai vieilli de dix ans.

Seigneur, pardon, je ne savais pas encore.
Seigneur, pardon, ils ne savent pas, les gens heureux ne
>   savent pas, les gens sans péché ne savent pas,
>   les gens purs, innocents, ils ne sauront jamais, ils ne
>   soupçonneront jamais.
Que c'est laid, Seigneur.

Devant moi, cette photo de grand gosse souriant et pur
>   m'apaise et me révolte.
J'envie son innocence et je lui en veux de sa tranquillité.
Je quête son sourire et il me fait mal,
J'ai faim de sa pureté toute neuve et elle me blesse.
Seigneur, comment savoir et rester clair ?
Comment connaître et rester en paix ?
Comment porter l'infinie tristesse du péché
>   et garder profonde Ta joie ?

*
* *

Mon petit, il faut accepter ce mal sur ta route;
>   il faut même le porter.
Ne t'arrête pas, mais saisis-le au passage,
>   c'est pour cela que Je t'ai envoyé fouler ces chemins.

Il t'écrase, tu ne peux plus avancer, tu t'écroules de dégoût
dans le noir et la solitude !
Je connais cela, Mon petit,
J'ai vécu cela, Mon petit,
C'était Mon agonie,
Il faut passer par là, c'est la règle de Ma rédemption.
Car avant de ressusciter il faut mourir,
avant de mourir, il faut souffrir,
avant de souffrir, il faut agoniser.
Ne fuis pas le mal, au contraire, sois présent. Prends-le.
Plus il est laid, plus il est lourd, plus il faut l'empoigner;
et souffre,
et meurs,
la JOIE viendra après.

Quand un chrétien a choisi Dieu et les autres, le démon n'en est pas satisfait. Il arrive qu'à certains moments ou certaines périodes, le charivari de la tentation, un moment couvert par le chant de l'Amour, revient plus violent ou plus lancinant.

Dieu permet cette épreuve, quelquefois même reste sourd aux appels de son enfant, pour l'éprouver et l'obliger à plus de confiance. Tant que celui-ci n'attend pas tout de Dieu et rien de lui, il ne peut être en paix.

Il faut être tout petit pour se laisser porter par Dieu.

*
* *

(Jésus) monta dans la barque, suivi de ses disciples. Survint alors dans la mer une agitation si violente que la barque était couchée par les vagues. Lui cependant dormait. S'étant donc approchés, ils le réveillèrent en disant : « Au secours, Seigneur, nous sommes perdus ! » Il leur dit : « Pourquoi avez-vous peur, gens de peu de foi ? » Puis se dressant, il menaça les vents de la mer, et ce fut le grand calme (Matth., 8, 23-26).

« En vérité, je vous le dis, si vous ne retournez à l'état des enfants vous ne pourrez entrer dans le Royaume des Cieux » (Matth., 18, 2-3).

*
* *

Je n'en peux plus, Seigneur,
Je suis rompu,
Je suis brisé.
Depuis ce matin, je lutte pour échapper à la tentation qui, tour
à tour discrète, persuasive, sensible ou sensuelle, danse
devant moi, comme une fille aguichante devant les bara-
ques foraines.
Je ne sais plus que faire.
Je ne sais plus où aller,
Elle me guette, elle me suit, elle m'envahit.

Je déserte une pièce, elle est assise et m'attend dans celle où
    je pénètre;
Je saisis un journal, elle est là, cachée sous les mots d'un arti-
    cle anodin;
Je sors, et la rencontre qui me sourit, derrière un visage
    inconnu;
Je tourne le dos et regarde le mur, elle surgit d'une affiche;
Je rentre pour travailler, elle somnole sur mes dossiers et je
    la réveille en prenant mes papiers.
Désespéré, ma pauvre tête entre les mains, je ferme les yeux
    pour ne rien voir,
Mais je la découvre plus vivante que jamais, installée comme
    chez elle, dans ma maison fermée.
Car elle a forcé la porte de chez moi,
Elle s'est glissée dans mon corps,
      dans mes veines,
         jusqu'au bout de mes doigts.
Elle s'insinue dans les creux de ma mémoire,
Elle chante à l'oreille de mon imagination,
Elle joue de mes nerfs comme des cordes d'une guitare.
Je ne sais plus où j'en suis, Seigneur.
Je ne sais plus si je veux ce péché qui me fait signe,
Je ne sais plus si je le fuis ou si je cours après.
Le vertige me saisit et le vide m'attire comme il attire l'im-
    prudent alpiniste qui ne peut plus avancer et ne peut plus
    reculer.
Seigneur, Seigneur, aide-moi !

***

Mon petit, Je suis là.
Je ne t'ai pas quitté.
Comme tu as peu de foi !

Tu es trop orgueilleux,
Tu comptes encore sur toi.
Si tu veux passer à travers toutes les tentations, sans tomber,
    sans faiblir, calme et serein,
Il faut que tu démissionnes entre Mes mains,
Il faut que tu reconnaisses que tu n'es pas assez grand,
    que tu n'es pas assez fort,

Il faut que tu acceptes de te laisser guider
Comme un gosse,
Mon petit gosse à Moi.

Allons, donne-Moi ta main et ne crains rien.
S'il y a de la boue, Je te porterai dans Mes bras.
Mais il faut que tu sois tout petit, tout petit,
Car le Père ne porte que les petits enfants.

Ce n'est plus simplement la tentation parfois qui éprouve le chrétien généreux, mais le péché. Lourde chute qu'il croyait devenue impossible tant son amour pour le Seigneur lui semblait solide et profond. Tombé, il risque de se décourager. Jamais il n'a encore éprouvé à ce point la laideur du mal. C'est qu'il connaît davantage l'amour de Dieu.

Tout est grâce. Cette chute lui fera comprendre qu'il ne peut absolument pas compter sur lui. Elle le remettra à sa vraie place : la dernière. Mais parallèlement à la défiance envers lui, il faudra l'aider à faire grandir sa confiance en Dieu, Père.

.**.

« Et pour que l'excellence même de ces révélations ne m'enorgueillisse pas, il m'a été mis une écharde dans la chair, un ange de Satan chargé de me souffleter, pour que je ne m'enorgueillisse pas ! A son sujet, par trois fois, j'ai prié le Seigneur qu'il l'éloigne de moi. Mais il m'a déclaré : « Ma grâce te suffit : car ma puissance se déploie dans la faiblesse »... car lorsque je suis faible, c'est alors que je suis fort » (2 Cor., 12, 7-10).

« C'est ainsi, je vous le dis, qu'il y a plus de joie dans le ciel pour un seul pécheur qui se repent que pour quatre-vingt-dix-neuf justes qui n'ont pas besoin de repentir » (Luc, 15, 7).

.**.

Je suis tombé, Seigneur,
Encore.
Je n'en peux plus, jamais je n'y arriverai,
J'ai honte de moi, je n'ose plus Te regarder.
Pourtant, j'ai lutté, Seigneur, car je Te savais tout près de moi, penché sur moi, attentif.
Mais comme une tempête, la tentation a soufflé,
Et j'ai détourné la tête,
Et je me suis écarté,
Tandis que Tu restais, silencieux et douloureux,
Comme un fiancé méprisé qui voit son amour s'éloigner dans les bras d'un ennemi.

Quand le vent s'est tu, brusquement tombé comme il s'était levé,

Quand l'éclair s'est éteint après avoir fièrement déchiré la pénombre,

En un instant, je me suis retrouvé seul, honteux, dégoûté, et mon péché dans les mains.

Ce péché que j'ai choisi comme le client son objet,

Ce péché que j'ai payé et que je ne puis rendre, car le marchand a disparu,

Ce péché sans odeur,

Ce péché sans saveur,

Ce péché qui m'écœure,

Inutile objet que je voudrais jeter;

Ce péché que j'ai voulu et que je ne veux plus,

Ce péché que j'ai imaginé,
                    recherché,
                    contourné,
                    caressé,
        depuis longtemps,

Ce péché que j'ai enfin atteint en T'écartant, Seigneur, froidement,

En me traînant à plat ventre, en tendant mes bras, mes mains, mes doigts, mon regard, mon cœur,

Ce péché que j'ai saisi, puis consommé, glouton,

Je le possède maintenant, il me possède, comme la toile d'araignée tient captif le moucheron.

Il est mien,

Il me colle à la peau,

Il m'est entré dedans,

Il coule dans mes veines,

Il occupe mon cœur,

Il s'est glissé partout, comme la nuit qui tombe s'insinue dans la forêt et emplit jusqu'au bord tous les trous de lumière.

Je ne puis m'en débarrasser.

Je cours, mais il me suit, chien galeux qu'on veut perdre mais qui rejoint son maître et joyeux se frotte contre lui.

Il me semble qu'il se voit,

J'ai honte de me tenir debout, je voudrais ramper pour échap-
per aux regards,
J'ai honte de paraître devant mon ami,
J'ai honte de paraître devant Toi, Seigneur,
Car Tu m'aimais et je T'ai oublié.
Je T'ai oublié parce que j'ai pensé à moi,
On ne peut penser à plusieurs à la fois.
Il faut choisir, et j'ai choisi.

Et Ta voix,
Et Ton regard,
Et Ton amour me font mal.
Ils sont sur moi, pesants,
Plus pesants que mon péché.

Seigneur, ne me regarde pas comme cela
Car je suis nu,
Je suis sale,
Je suis à terre,
Déchiré,
Je n'ai plus de force,
Je n'ose plus rien promettre,
Je ne puis que rester là, courbé, devant Toi.

*
* *

Allons, petit, relève la tête.
N'est-ce pas ton orgueil surtout qui est blessé ?
Si tu M'aimais, tu aurais de la peine mais tu aurais confiance.
Crois-tu que l'amour de Dieu a des limites ?
Crois-tu qu'un seul instant J'ai cessé de t'aimer ?
Mais tu comptes encore sur toi, mon petit.
Tu ne dois compter que sur Moi.

Demande-Moi pardon
Et puis relève-toi vivement,
Car, vois-tu, ce n'est pas de tomber qui est le plus grave,
C'est de rester à terre.

Il faut être complètement aveugle pour s'abandonner à son guide et se laisser conduire comme un enfant. Ainsi, pour purifier l'action encore trop humaine du chrétien, le Seigneur est-il obligé de lui refuser toute lumière. Il ne doit plus compter que sur Dieu.

L'homme croyait en l'organisation, il ne sait plus que faire. Il croyait en sa parole, il ne sait plus s'exprimer. Il croyait en la valeur des réunions, celles qu'il a soigneusement préparées échouent piteusement. Là où il ne rencontrait que réussites, il n'essuie que des revers. Et Dieu semblant se moquer de son incapacité subite et totale continue d'agir mais en dehors des cadres habituels, en se passant de ce « serviteur inutile ». Quand le chrétien, honteux et désespéré, se tourne vers le Christ pour pleurer, il ne le trouve plus. Il est seul dans la nuit.

L'épreuve est pénible. Il ne faut pas vouloir l'éviter, mais il faut rassurer le chrétien.

De même que le barrage vient de faire échec à l'eau pour la faire monter et décupler sa puissance, ainsi Dieu ne veut pas pour son fils d'une action à ras de terre, il permet un échec extérieur pour une purification et un dépassement dans la foi.

*
**

Quand ce fut la sixième heure, l'obscurité se fit sur toute la surface de la terre jusqu'à la neuvième heure. Et à la neuvième heure Jésus cria d'une voix forte : « *Mon Dieu, mon Dieu, pourquoi m'as-tu abandonné ?* » (Marc, 15, 33-35).

*
**

Seigneur, il fait nuit.
Seigneur, es-Tu là, dans ma nuit ?

Ta lumière s'est éteinte et son reflet sur les hommes et les
    choses a disparu,
Et tout m'apparaît gris et tout m'apparaît sombre comme la
    nature, quand le brouillard efface le soleil et ensevelit
    la terre,
Tout me coûte, tout me pèse, et je suis lourd et lent.

Au réveil, le matin m'accable, car il cache une journée.
J'ai hâte de disparaître, j'envie la mort comme un oubli.
Je voudrais partir.
M'enfuir,
Fuir
N'importe où, m'échapper.
Echapper à quoi ?
A Toi, Seigneur, aux autres, à moi, je ne sais,
Mais partir,
Fuir.

J'avance comme un homme ivre,
Poussé par l'habitude, sans savoir.
Je refais chaque jour les mêmes gestes, mais je sais qu'ils sont
    inutiles.
Je marche, mais je sais que mes pas n'aboutissent nulle part.
Je parle et mes paroles me semblent affreusement vides car
    seules, je le sais, des oreilles de chair peuvent les entendre
    et non pas les âmes vivantes, trop hautes et trop loin-
    taines.
Les idées mêmes se dérobent, j'ai du mal à penser.
Les mots quelquefois s'échappent et ne veulent plus servir.
Je balbutie, je m'empêtre, je rougis
Et je suis ridicule.
J'ai honte, les autres vont s'en apercevoir.
Seigneur, est-ce que je deviens fou ?
Ou est-ce Toi qui désires cela ?

Mais ce ne serait rien, si je n'étais pas seul.
Je suis seul.
Tu m'a entraîné loin, Seigneur; confiant, je T'ai suivi, mais
    Tu marchais à mes côtés,
Et voici qu'en plein désert, en pleine nuit, brusquement Tu
    disparais.
J'appelle et Tu ne me réponds pas,
Je cherche et ne Te trouve pas.
J'ai tout abandonné et me retrouve seul.
Ton absence est ma souffrance.

Seigneur, il fait nuit.
Seigneur, es-Tu là dans ma nuit ?

Où es-Tu, Seigneur ?
M'aimes-Tu encore ?
Ne T'ai-je pas lassé ?
Seigneur, réponds-moi !
Réponds !

Il fait nuit.

Celui qui a « capitulé » devant Dieu, celui qui a dit oui, obtient souvent immédiatement sa récompense. Le Seigneur lui fait expérimenter la Joie de Le posséder et d'être possédé par Lui. Les mots sont infirmes pour exprimer cette amoureuse étreinte de Dieu. Ce garçon comprendra, qui, en pleine rue, « saisi » par son Maître, devait descendre de bicyclette, brusquement incapable de rouler sans danger. Cette jeune fille également qui dut quitter rapidement son établi d'usine, pour aller s'enfermer quelques instants et dérober à la vue de ses compagnes son visage transfiguré. Ce garçon qui innocemment avouait après une réunion qu'il avait dû supplier Dieu de le « laisser un peu » afin qu'il demeure présent à ses camarades.

S'il ne faut pas rechercher ces grâces sensibles il faut être assez simple pour dire merci au Seigneur, lorsqu'il nous les offre, profitant de ses douceurs avant d'éprouver son intransigeante fermeté.

*
* *

« *Et nous, nous avons reconnu l'Amour que Dieu a pour nous, et nous y avons cru, Dieu est Amour...*

« *...En ceci consiste Son Amour : ce n'est pas nous qui avons aimé Dieu, mais c'est Lui qui nous a aimés* » (1 Jean, 4, 16, 10).

« *Tous ces avantages don. j'étais pourvu, je les ai tenus pour un désavantage, à cause du Christ. Bien plus, je tiens tout désormais désavantageux au prix du gain suréminent qu'est la connaissance du Christ Jésus mon Seigneur. Pour Lui j'ai accepté de tout perdre, je regarde tout comme déchets afin de Le gagner, ce Christ, et de me trouver en Lui... je poursuis ma course pour tâcher de saisir, ayant été saisi moi-même par le Christ Jésus* » (Philipp., 3, 7-9 et 12).

*
* *

Seigneur, Tu m'as saisi, et je n'ai pu Te résister.
J'ai couru longuement, mais Tu me poursuivais.
Je faisais des détours, mais Tu les connaissais.
Tu m'as rejoint.
Je me suis débattu.
Tu as gagné !

Me voici, Seigneur, j'ai dit oui, à bout de souffle, à bout de
lutte, presque malgré moi,
Et j'étais là, tremblant comme un vaincu à la merci de son
vainqueur,
Quand sur moi, Tu as posé ton regard d'Amour.

C'en est fait, Seigneur, je ne pourrai plus T'oublier.
En un instant Tu m'as conquis.
En un instant Tu m'as saisi,
Mes doutes furent balayés,
Mes craintes s'envolèrent;
Car je T'ai reconnu sans Te voir,
Je T'ai senti sans Te toucher,
Je T'ai compris sans T'entendre.
Marqué du feu de Ton Amour,
C'en est fait, Seigneur, je ne pourrai plus T'oublier.
Maintenant, je Te sais là, présent près de moi, et en paix
je travaille sous Ton regard d'Amour.
Je ne sais plus ce que c'est que de faire un effort pour prier,
Il me suffit de lever les yeux de mon âme vers Toi, pour ren-
contrer Ton regard.
Et nous nous comprenons. Tout est clair. Tout est paix.

A certains moments, ô merci, Seigneur, Tu viens, irrésistible,
m'envahir, comme la mer lentement inonde la grève,
Ou brusquement Tu me saisis, comme l'amant serre en ses
bras l'amante qui s'abandonne.
Et je ne puis plus rien, captif, il faut que je m'arrête.
Séduit, je retiens ma respiration; le monde s'évanouit, Tu
suspends le temps.
Je voudrais que ces minutes durent des heures...
Quand Tu Te retires, me laissant en feu et bouleversé de joie
profonde,
Je n'ai pas une idée de plus, mais JE SAIS que Tu me pos-
sèdes davantage.
En moi quelques fibres de plus sont atteintes,
La brûlure s'est élargie, et je suis un peu plus captif de Ton
amour.

Seigneur, Tu fais encore le vide autour de moi, mais d'une
façon différente, cette fois.

C'est que tu es trop grand, Tu éclipses toutes choses.
Ce que j'aimais me semble bagatelle, et mes désirs humains
    fondent comme cire au soleil, sous le feu de Ton Amour.
Que m'importent les choses !
Que m'importe mon bien-être !
Que m'importe ma vie !
Je ne désire plus rien que Toi,
Je ne veux plus rien que Toi.

Je sais, les autres disent : « Il est fou ! »
Mais, Seigneur, ce sont eux qui le sont.
Ils ne Te connaissent pas,
Ils ne savent pas Dieu, ils ne savent pas qu'on ne peut pas
    Lui résister.
Mais moi, Tu m'as saisi, Seigneur, et je suis sûr de Toi.
Tu es là et j'exulte.
Le soleil envahit toute chose, et ma vie resplendit comme un
    joyau.
Tout est facile, tout est lumineux.
Tout est pur,
Tout chante !

Merci, Seigneur, merci !
Pourquoi moi, pourquoi m'avoir choisi ?
Joie, Joie, pleurs de Joie.

Il faut des mots, des images, des idées, pour soutenir la prière du débutant, mais peu à peu celui-ci expérimente que tous ces moyens sont encore des obstacles qui empêchent de « toucher » Dieu. Le Christ qui « saisit » le chrétien lui fait comprendre qu'il est inutile de dire, d'imaginer ou de penser quoi que ce soit. Il doit se laisser faire par Dieu; s'exposer à Lui sans intermédiaire est le plus sûr moyen de Le Rencontrer lorsqu'il invite. Cependant, passivité ne veut pas dire oubli des hommes. Au contraire, le chrétien lourd de tous les frères qu'il a pris en charge, doit les amener silencieusement à Dieu. Présent à Dieu, présent aux hommes, pour permettre la Rencontre.

*
* *

« *Quand tu veux prier, entre dans ta chambre, ferme la porte et prie ton Père dans le secret; et ton Père qui voit dans le secret te le rendra.*

« *Dans vos prières, il ne faut pas multiplier les paroles* » (Matth., 6, 6-7).

« *Pour moi, je dépenserai très volontiers et me dépenserai moi-même tout entier pour vos âmes* » (2 Cor., 12, 15).

« *Comme la nourrice prend soin de ses enfants, ainsi — dans notre tendresse pour vous — nous vous donnerions bien volontiers non seulement l'Evangile de Dieu, mais jusqu'à notre propre vie, tellement vous nous êtes devenus chers* » (1 Thess., 2, 7-8).

*
* *

Etre là devant Toi, Seigneur, et c'est tout.
Clore les yeux de mon corps,
Clore les yeux de mon âme,
Et rester immobile, silencieux,
M'exposer à Toi qui es là, exposé à moi,
Etre présent à Toi, l'Infini Présent.

J'accepte de ne rien sentir, Seigneur,
     de ne rien voir,
     de ne rien entendre,

Vide de toute idée,
        de toute image,
Dans la nuit.
Me voici simplement
Pour Te rencontrer sans obstacle,
Dans le silence de la Foi,
Devant Toi, Seigneur.

Mais, Seigneur, je ne suis pas seul.
Je ne peux plus être seul.
Je suis foule, Seigneur,
Car les hommes m'habitent.
Je les ai rencontrés,
        ils ont pénétré en moi,
        ils s'y sont installés,
        ils m'ont tourmenté,
        ils m'ont préoccupé,
        ils m'ont mangé,
Et je les ai laissés, Seigneur, pour qu'ils se nourrissent et pour
        qu'ils se reposent.
Je Te les amène aussi en me présentant à Toi.
Je Te les expose en m'exposant à Toi. ʿ
Me voici,
Les voici
Devant Toi, Seigneur.

PRIÈRES SUR LA ROUTE DE LA CROIX

Le Christ n'a pas fini de mourir. Les hommes qui, chaque jour, autour de nous souffrent et meurent, c'est encore Lui qui, par eux, continue de s'offrir à son Père pour le salut du Monde. Le Chemin de la Croix est aussi le chemin de la vie; un vrai chrétien ne saurait l'oublier.

(I) Jésus est condamné à mort

« *...Je ne suis pas venu vous annoncer le mystère de Dieu avec le prestige de la parole ou de la sagesse. Non, je n'ai rien voulu savoir parmi vous que Jésus-Christ, et Jésus-Christ crucifié. Ma parole et mon message n'avaient rien des discours persuasifs de la sagesse; c'était une manifestation d'Esprit et de puissance, afin que votre foi reposât, non point sur la sagesse des hommes, mais sur la puissance de Dieu* » (1 Cor., 2, 1-5).

.•.

Seigneur, il est trop tard pour Te Taire, Tu as trop parlé;
il est trop tard pour Te laisser faire, Tu T'es trop battu.
Tu n'étais pas raisonnable, non plus, Tu exagérais, ça devait
arriver.
Tu as traité les gens de bien, de race de vipères,
Tu leur as dit que leur cœur était un noir tombeau sous de
belles apparences,
Tu as embrassé les lépreux pourris,
Tu as parlé effrontément avec des étrangers vulgaires.
Tu as mangé avec des pécheurs notoires, et Tu as dit que les
filles de trottoir seraient les premières au paradis,
Tu T'es complu avec les pauvres, les pouilleux, les estropiés,
Tu as été un mauvais pratiquant des règlements religieux.
Tu as voulu interpréter la Loi et la réduire à un seul petit
commandement : aimer.
Maintenant, ils se vengent.
Ils ont fait des démarches contre Toi, ils sont intervenus
auprès des autorités et les mesures vont suivre.

.•.

Seigneur, je sais que si j'essaye de vivre un peu comme Toi,
je serai condamné.
J'ai peur.
On me montre déjà du doigt,
Certains sourient, d'autres se moquent, quelques-uns se scan-
dalisent et plusieurs de mes amis sont sur le point de me
trahir.

157

J'ai peur de m'arrêter en chemin,
J'ai peur d'écouter la sagesse des hommes,
Elle murmure : il faut avancer doucement, tout n'est pas à
  prendre à la lettre, il vaut mieux composer avec l'adver-
  saire...
Et pourtant, Seigneur, je sais que Tu as raison.
Aide-moi à lutter,
Aide-moi à parler,
Aide-moi à vivre Ton Evangile,
Jusqu'au bout,
Jusqu'à la folie,
La folie de la Croix.

(II) Jésus est chargé de sa croix

« *Si quelqu'un veut marcher à ma suite, qu'il se renonce lui-même, qu'il prenne sa croix chaque jour, et qu'alors il me suive. Qui veut en effet sauver sa vie la perdra, mais celui qui perd sa vie à cause de moi, celui-là la sauvera* » (Luc, 9, 23-24).

.∗.

Seigneur, voilà Ta Croix.

Ta Croix, comme si c'était Ta Croix !
Tu n'en avais pas, Tu es venu chercher les nôtres, et tout au
    long de Ta vie, tout au long du chemin de Ta passion,
    Tu as pris — un à un — les péchés du Monde entier.
Marche, maintenant,
Et courbe-Toi,
Et souffre,
Mais avance,
Il faut que la Croix soit portée.

.∗.

Seigneur, Tu chemines silencieusement; c'est donc vrai qu'il
    y a un temps pour parler et un autre pour se taire ?
C'est vrai qu'il y a un temps pour lutter et un autre pour
    accepter de porter en silence nos péchés et les péchés du
    Monde ?

Seigneur, j'aimerais mieux me battre avec la Croix; mais la
    porter, c'est dur, et plus j'avance, plus je regarde le mal
    dans le Monde, plus la Croix pèse sur mon épaule.
Seigneur, aide-moi à comprendre que la plus généreuse action
    n'est rien si elle n'est en même temps silencieuse rédemp-
    tion;
Et puisque Tu as voulu pour moi ce long chemin de Croix,
Au matin de chaque jour, aide-moi à partir.

(III) Jésus tombe pour la première fois

Jésus dit (à Pierre et à son frère André) : « Suivez-moi et je ferai de vous des pêcheurs d'hommes. » Et aussitôt, laissant là leurs filets ils le suivirent (Marc, 1, 16-17).

Jésus dit (à Jacques et à Jean) : « Pouvez-vous boire le calice que je dois boire et être baptisés du baptême dont je dois être baptisé ? » Ils lui répondirent : « Nous le pouvons » (Marc, 11, 38-39).

Jésus prend avec lui Pierre, Jacques et Jean, et il commence à ressentir effroi et abattement... Il revient vers ses disciples et les trouve endormis et il dit à Pierre : « Simon, tu dors ? Tu n'as pas été capable de veiller une heure ? » (Marc, 14, 33-37).

*

Il est tombé.
Un instant Il a titubé, comme un homme ivre, et puis S'est
    abattu.
Dieu a mordu la poussière.

*

Ainsi, Seigneur, à Ta Suite, je suis parti confiant, et me voilà
    tombé.
Je croyais pourtant m'être définitivement donné à Toi, mais
    j'ai vu dans un sentier une fleur à cueillir.
Je T'ai laissé, j'ai laissé l'encombrante Croix et me voici en
    dehors du chemin, riche de quelques pétales fanés et de
    ma solitude.
Et les autres passent sur la route, Seigneur, brisés, fourbus,
Et les Croix se préparent, et les dos s'arrondissent.
Je ne suis plus là pour lutter contre le mal et pour aider les
    hommes à traîner leur fardeau,
Je suis en dehors du chemin.

Seigneur, donne-moi non seulement de partir à Ta suite, mais
    aussi de tenir.
Evite-moi ces fautes de surprise qui me laissent stupide et
    vide, loin de Ton chantier où se bâtit le Monde !

(IV) Jésus rencontre sa Mère

« Toi-même, un glaive te transpercera l'âme » (Luc, 2, 35).

*
* *

Seigneur, Ta pauvre Mère me fait pitié.
Elle suit,
Elle Te suit,
Elle suit l'humanité sur son Chemin de Croix.

Elle marche dans la foule, anonyme, mais Elle ne Te quitte
     pas des yeux.
Pas un de Tes gestes, pas un de Tes soupirs, pas un de Tes
     coups, pas une de Tes blessures ne lui sont étrangers.
Elle connaît Tes souffrances,
Elle souffre Tes souffrances,
Et sans T'approcher,
     sans Te toucher,
     sans Te parler,
Avec Toi, Seigneur, Elle sauve le Monde !

*
* *

Souvent, mêlé aux hommes, je les accompagne sur leur Chemin
     de Croix,
Et je suis écrasé par le mal.
Je me sens incapable de sauver le Monde, il est trop pesant
     et trop pourri et chaque jour au détour de la route, je fais
     connaissance avec de nouvelles injustices et de nouvelles
     impuretés.

Seigneur, montre-moi Ta Mère Marie,
L'inutile, l'inefficace aux yeux des hommes,
Mais la corédemptrice aux yeux de Dieu.

161

Aide-moi à cheminer parmi les hommes, avide de savoir leur
mal et leur péché.

Fais que jamais je ne baisse les yeux.

Que jamais je ne ferme mon cœur afin qu'en accueillant la
souffrance du Monde, je souffre et je rachète comme
Marie, Ta Mère.

(V) Simon le cyrénéen aide Jésus à porter sa croix

Ils l'emmènent pour le crucifier. Et ils réquisitionnent, pour porter sa croix, Simon de Cyrène, qui revenait des champs (Marc, 15, 20-21).

« Portez les fardeaux les uns des autres, et accomplissez ainsi la loi du Christ » (Gal., 6, 2).

*
* *

Il passait sur la route,
Ils l'ont réquisitionné,
C'est le premier venu, un inconnu.

Seigneur, Tu acceptes son aide.
Tu n'as même pas voulu un geste d'amour, le bel élan d'un
    ami généreux pour son ami épuisé et bafoué.
Tu as choisi le geste de commande de l'homme tremblant et
    contraint.
Seigneur Tout-Puissant, Tu Te fais aider par l'homme impuis-
    sant,
Seigneur, Tu veux avoir besoin de l'homme.

*
* *

Seigneur, j'ai besoin des autres.
La route des hommes est trop dure pour être parcourue seul.
Mais j'écarte les mains qui se tendent.
Je veux agir seul,
Je veux lutter seul,
Je veux réussir seul.
Et pourtant à mes côtés cheminent un ami, un époux, un
    frère, des voisins, des compagnons de travail.
Tu les as placés là, Seigneur, et je les ignore trop souvent.
Pourtant, c'est tous ensemble que nous sauverons le Monde !

Seigneur, donne-moi de découvrir, donne-moi d'accepter tous
    les Simon de ma route, même si ce sont des réquisi-
    tionnés.

(VI) Une femme essuie le visage de Jésus

« *Nous portons partout et toujours en notre corps les souffrances de mort de Jésus afin que la vie de Jésus soit, elle aussi, manifestée dans notre corps.* » (2 Cor., 4, 10).

« *Aujourd'hui, nous voyons dans un miroir, d'une manière confuse, mais alors ce sera face à face* » (1 Cor., 13, 12).

*
**

Seigneur, elle T'a longuement regardé,
Elle a souffert de Ta souffrance.
N'y tenant plus, elle a bousculé les soldats et d'un linge fin
  essuyé Ton visage.
Tes traits ensanglantés furent-ils fixés sur son linge ? Peut-
  être.
En son cœur, sûrement.

*
**

Seigneur, il me faut Te contempler longuement, gratuitement,
  comme le petit frère admire et aime son grand frère.
Car je veux Te ressembler et, pour cela, d'abord Te regarder.
Si Tu veux, je deviendrai un peu comme Toi, puisque l'ami
  qui aime son ami devient une seule âme avec lui.
Mais, Seigneur, trop souvent je passe devant Toi, insouciant,
  ou je m'ennuie quand je m'arrête et Te regarde.
Et de Toi j'offre aux autres une bien triste caricature.
Pardon pour mon regard voilé : ils n'y voient pas Ta Lumière.
Pardon pour mon corps avide de plaisirs : ils n'y devinent pas
  Ta Présence.
Pardon pour mon cœur encombré : ils n'y rencontrent pas
  Ton Amour.
Mais, Seigneur, viens tout de même chez moi, mes portes sont
  ouvertes.

(VII) Jésus tombe pour la deuxième fois

« *Elles s'assoupirent toutes et s'endormirent* » (Matth., 25, 5).

« *Tenez-vous sur vos gardes, de peur que vos cœurs ne s'appesantissent... Veillez donc et priez en tout temps, afin d'avoir la force d'échapper à tout ce qui doit arriver et de paraître avec assurance devant le Fils de l'Homme* » (Luc 21, 34-36).

*
* *

Seigneur, Tu n'en peux plus.
A nouveau Te voilà par terre.
Cette fois, ce n'est plus seulement le poids de la Croix qui
     provoque la chute, mais la fatigue accumulée, la lassitude.
Ainsi la souffrance répétée endort la volonté.

*
* *

Mes péchés, Seigneur, sont de terribles endormeurs de cons-
     cience,
Je m'habitue très vite au mal :
Un manque de générosité ici,
Une infidélité là,
Une simple imprudence plus loin,
Et mon regard s'obscurcit, je ne vois plus les obstacles, je ne
     vois plus les autres sur ma route,

Et mes oreilles se ferment, je n'entends plus la plainte des
     hommes,
Je me retrouve à terre, dans la plaine, loin de la route que
     Tu m'as tracée.

Seigneur, je T'en prie, garde-moi jeune dans mes efforts,
Epargne-moi l'habitude qui endort et qui tue.

(VIII) Jésus reprend les filles de Jérusalem

« *Qu'as-tu à regarder la paille qui est dans l'œil de ton frère ? Et la poutre qui est dans ton œil à toi, tu ne la remarques pas ! Ou bien comment peux-tu dire à ton frère : « Mon frère, attends, que j'enlève la paille qui est dans ton œil », toi qui ne vois pas la poutre qui est dans le tien ? Hypocrite, enlève d'abord la poutre de ton œil; et alors tu verras clair pour enlever la paille qui est dans l'œil de ton frère* » (Luc, 6, 41-42).

*
* *

Elles pleurent,
Elles sanglotent.
Ça se comprend, il y a de quoi, si vous voyiez dans quel état
    ils l'ont mis.
Et elles sont impuissantes, elles ne peuvent intervenir.
Alors elles pleurent, elles pleurent de pitié.

Seigneur, vous les avez vues, entendues :
« Pleurez d'abord sur *vos* péchés. »

*
* *

M'apitoyer sur Tes souffrances et sur les souffrances du
    Monde, j'y arrive, Seigneur,
Mais pleurer sur mes péchés, c'est autre chose.
J'aime autant me lamenter sur ceux des autres,
C'est plus facile.
Pour ça, je m'y connais; à mon tribunal, chaque jour, le
    Monde entier défile.
J'en ai trouvé des coupables : la politique, l'économie, les
    taudis, l'alcool, le cinéma, le travail, les gens qui ne font
    rien, les curés qui ne comprennent rien, les chrétiens,
Et bien d'autres, Seigneur, bien d'autres !
Au total, à peu près tout le Monde, sauf moi.

Seigneur, apprends-moi que je suis un pécheur.

(IX) Jésus tombe pour la troisième fois

Jésus lui répliqua (à Pierre) : « *En vérité, je te le dis : cette nuit même avant que le coq chante, tu me renieras trois fois* » (Matth., 26, 34).

Pierre fut peiné de ce que Jésus lui demandât pour la troisième fois : « *M'aimes-tu ?* » *et lui dit* : « *Seigneur, tu sais tout, tu sais que je t'aime* » (Jean, 21, 17).

* *

Encore.
Les soldats ont beau taper dessus, Il ne bouge plus.
Seigneur, es-Tu mort ?
Non, mais à bout de forces.
Minute d'angoisse affreuse.
Il faut repartir, immédiatement, dans l'état où Tu es, Seigneur,
    et puis marcher. Un pas, puis un autre et d'autres
    encore...
Seigneur, Tu es tombé une troisième fois, mais c'est en haut
    du Calvaire !

* *

Encore.
A chaque fois je retombe.
Je n'y arriverai jamais.
Je l'ai dit quelquefois, Seigneur, et je T'en demande pardon,
    car Tu m'attendais là, pour mesurer ma confiance.
Si je me décourage, Seigneur, je suis perdu.
Si je lutte encore, je suis sauvé.
Car Tu es tombé une troisième fois, mais c'est tout en haut
    du Calvaire.

(X) Jésus est dépouillé de ses vêtements

« *La voici, l'heure où le Fils de l'Homme doit être glorifié. En vérité, en vérité, je vous le dis, si le grain de blé ne tombe en terre et ne meurt, il reste seul; s'il meurt, il porte beaucoup de fruit* » (Jean, 12, 23-24).

*
* *

Tu n'avais plus que Ta robe à Toi,
Tu y tenais, Ta mère Te l'avait tissée.
Mais c'était encore de trop.
Une seule chose est nécessaire, Seigneur, Ta Croix.

Cette fois, tous les obstacles sont tombés entre vous deux,
Vous allez pouvoir enfin vous épouser pour toujours,
Et couple tragique, vous sauverez le Monde !

*
* *

Ainsi, Seigneur, je dois abandonner tous ces vêtements de
        parade qui me gênent en ma vie et me cachent à Tes
        yeux.
Cet « avoir » qui étouffe l'être en moi et me sépare des autres.
Ainsi, Seigneur, peu à peu, je dois faire mourir en ma vie
        tout ce qui n'est pas fidélité à Ta Volonté.

Je n'aime pas cela, Seigneur, il faut toujours mourir.
Comme Tu es exigeant.
Je donne et Tu réclames encore.
Je voudrais garder quelques riens,
Quelques riens qui me collent à la peau et que je ne puis me
        résigner à T'offrir.

. . . .

Mais si Tu veux tout, Seigneur, prends tout.
Arrache, Toi-même, mon dernier vêtement,
Car je sais bien qu'il faut mourir pour mériter la Vie,
Comme le grain doit pourrir pour donner l'épi d'or.

« Je suis crucifié avec le Christ; et si je vis, ce n'est plus moi mais le Christ qui vit en moi. Quant à ma vie présente dans la chair, je la vis dans la foi au Fils de Dieu qui m'a aimé et s'est livré pour moi » (Galat., 2, 19-20).

**
* **

De tout Ton long, Seigneur, Tu T'étends sur la Croix.
Voilà.
C'est parfait.
Il n'y a pas à dire, elle est faite pour Toi.
Tu l'occupes tout entière, et pour être plus sûr d'y adhérer davantage, Tu laisses les hommes T'y clouer soigneusement.
Seigneur, c'est du travail bien fait, du travail consciencieux.
Maintenant, Tu coïncides exactement avec Ta Croix comme la pièce de l'ajusteur, lentement limée, recouvre le plan de l'ingénieur.
Il Te fallait atteindre à cette précision.
Ne bouge plus.

**
* **

Ainsi, Seigneur, je dois rassembler mon corps, mon cœur, mon esprit
Et de tout mon long m'étendre sur la Croix de l'instant présent.
Je n'ai pas le droit de choisir le bois de ma passion.
La Croix est prête, à ma mesure.
Tu me la présentes chaque jour, chaque minute, et je dois l'occuper.
Ce n'est pas facile, Seigneur, l'instant présent est si étroit, il n'y a pas moyen de se retourner.
Pourtant, Seigneur, Je ne Te rencontrerai pas ailleurs,
C'est là que Tu m'attends.
C'est là qu'ensemble nous sauverons nos frères.

« Il s'anéantit lui-même, prenant condition d'esclave, et devenant semblable aux hommes. S'étant comporté comme un homme, il s'humilia plus encore, obéissant jusqu'à la mort, jusqu'à la mort sur une croix ! » (Philipp., 2, 7-8).

Nous devons, nous aussi, offrir notre vie pour nos frères (1 Jean, 3, 16).

*
* *

Encore quelques heures,
Encore quelques minutes,
Encore quelques instants.
Voilà trente-trois ans que ça dure.
Trente-trois ans que Tu as vécu sérieusement, minute après
    minute.
Tu ne peux plus échapper, maintenant; Tu es là, tout au bout
    de Ta vie, tout au bout de Ta Route.
Te voici à la dernière extrémité, acculé au vide.
Il faut faire le pas,
Le dernier pas du don,
Le dernier pas de la vie qui donne dans la mort.

Tu hésites !
C'est long trois heures, trois heures d'agonie;
Plus long que trois ans de vie,
Plus long que trente ans de vie.

Il faut Te décider, Seigneur, tout est prêt,
Pour l'extérieur, du moins.
Tu es là, immobile sur Ta Croix.
Tu as réussi à mourir à toute activité autre que celle d'embrasser
    ces bois croisés pour lesquels Tu es fait.
Pourtant, la vie circule encore dans ce corps attaché.
Allons, meurs donc, chair mortelle, et que pousse ton éternité !

Cette fois, la vie s'enfuit, désertant chaque membre un à un.
Elle se réfugie, traquée par la mort, dans ce cœur qui bat
encore,
Cœur immense,
Cœur débordant,
Cœur lourd comme un monde, le monde de péchés et de
misères qu'Il porte.

Seigneur, un effort encore,
L'humanité est là qui attend sans le savoir le cri de Son
Sauveur.
Tes frères sont là, ils ont besoin de Toi.
Ton Père se penche et déjà tend les bras.
Seigneur, sauve-nous,
Sauve-nous !

Regardez !
Il a saisi ce qui Lui restait de vie.
Il a saisi Son cœur pesant,
Et
Lentement,
Péniblement,
Seul entre ciel et terre
Dans l'atroce nuit,
Fou,
Fou d'amour,
Il a fait monter Sa vie,
Il a fait monter le péché du Monde
Jusqu'au bord de Ses lèvres,
Et dans un cri,
Il a TOUT donné.
« Père, je remets mon âme entre Tes mains ! »

.*.
* *

Le Christ vient de mourir pour nous.

.*.
* *

Seigneur, aide-moi à mourir pour Toi
Aide-moi à mourir pour eux.

(XIII) Jésus est remis à sa mère

Sa mère lui dit : « Mon enfant, pourquoi as-tu fait cela ? Vois !
ton père et moi, nous te cherchions, angoissés. » Il leur répondit :
« Et pourquoi me cherchiez-vous ? Ne saviez-vous pas que je me dois
aux affaires de mon Père ? » (Luc, 2, 48-49).

*
* *

Ton ouvrage est terminé,
Tu peux lâcher Ton outil,
Tu peux descendre Te reposer, Tu l'as bien gagné.

Lentement, Tu glisses comme un homme fatigué de son travail
    et qui tombe de sommeil.
Ta Maman Te reçoit en ses bras.
« Dans quel état es-Tu; Tu n'es pas raisonnable. Tu es mort
    de fatigue !
Le Père ne Te demandait peut-être pas tout cela. »
Mais Tu reposes en paix.
Sur Ton visage calme et détendu, on dirait une lueur de joie,
    c'est le reflet de Ta conscience tranquille.

Allons, Tu as fait souffrir Ta Mère, mais Elle est fière de Toi,
« Dors maintenant, mon tout petit, Ta Maman Te regarde. »

*
* *

Ainsi chaque soir je m'endors, ma journée terminée.
Dans quel état, Seigneur, me suis-je mis quelquefois !
Mais ce n'est pas toujours, hélas ! au Service du Père qu'ainsi
    je me suis fatigué et sali.
Marie, accepteras-tu tout de même de me veiller toutes les
    nuits ?
Mon corps est lourd de toutes ses impuretés, mais mon cœur
    demande pardon.
N'oublie pas, Tu es le refuge des pécheurs.

Sainte Marie, Mère de Dieu, prie pour moi pauvre pécheur.
Fais-moi cette grâce, par les mérites de Ton Fils, que jamais
je ne m'endorme sans avoir obtenu le Pardon de Notre
Père,
Afin que chaque soir, en paix, reposant en Tes bras, Je
m'apprenne à mourir.

(XIV) Jésus est mis dans le tombeau

« Je complète en ma chair ce qui manque encore aux épreuves du Christ pour son Corps, qui est l'Eglise » (Colos., 1, 5).

« De même que les souffrances du Christ abondent pour nous, de même par le Christ, abonde aussi notre consolation. » (2 Cor., 1, 5).

*
* *

Maintenant, n'en parlons plus,
Rentrez tous chez vous.
Il est enseveli et la pierre est posée.
La famille pleure, les amis sont désemparés.
Tout est fini, cette fois.

*
* *

Seigneur, ce n'est pas fini.
« Tu es en agonie jusqu'à la fin des temps », je le sais.
Les hommes se relayent sur le Chemin de la Croix.
La résurrection ne sera complète que tout au bout de la route
    du Monde.
Je suis en marche, j'ai ma petite part et les autres ont la leur.
Ensemble, nous détaillons dans le temps ce que Tu as pris en
    charge pour le diviniser.
C'est là mon espérance, Seigneur, et mon invincible confiance.
Il n'y a pas une parcelle de ma petite souffrance que Tu n'aies
    déjà vécue et transformée en infinie rédemption.
Si la route est dure et monotone,
Si elle mène au tombeau,
Je sais qu'au-delà du tombeau, Tu m'attends glorieux.

Seigneur, aide-moi à fidèlement parcourir mon chemin, bien
    à ma place dans la grande humanité,
Aide-moi surtout à Te reconnaître et à T'aider en tous mes
    frères de pèlerinage
Car il serait menteur de pleurer devant Ta froide image, si
    je ne Te suivais Vivant sur la route des hommes.

Achevé d'imprimer le 6 septembre 1979
sur les presses de la S.N.I. Delmas à Artigues-près-Bordeaux,
Dépôt légal : 3ᵉ trimestre 1979.
Nᵒ d'éditeur : 3983.